신개념 스포츠지도사 문제집 2025

시험대비

스포츠교육학

단원별 출제빈도 분석

단원	2015 (전문)	2015 (생활)	2016	2017	2018	2019	2020	2021	2022	누계 (개)	출제율 (%)
제1장 스포츠교육학의 배경과 개념	3	3	1		4	2	4	1		18	10
제2장 스포츠교육의 정책과 제도	3	2	2	1	4	3	2	2	4	23	13
제3장 스포츠교육의 참여자 이해론	1		2	1	2			3	2	11	6
제4장 스포츠교육의 프로그램론	2	1	1	3		3	2	3	2	17	10
제5장 스포츠교육의 지도방법론	6	9	12	12	9	9	9	9	10	85	47
제6장 스포츠교육의 평가론	3	4		2	1	3	3	2	2	20	11
제7장 스포츠교육자의 전문적 성장	2	1	2	1						6	3
합계	20	20	20	20	20	20	20	20	20	180	100

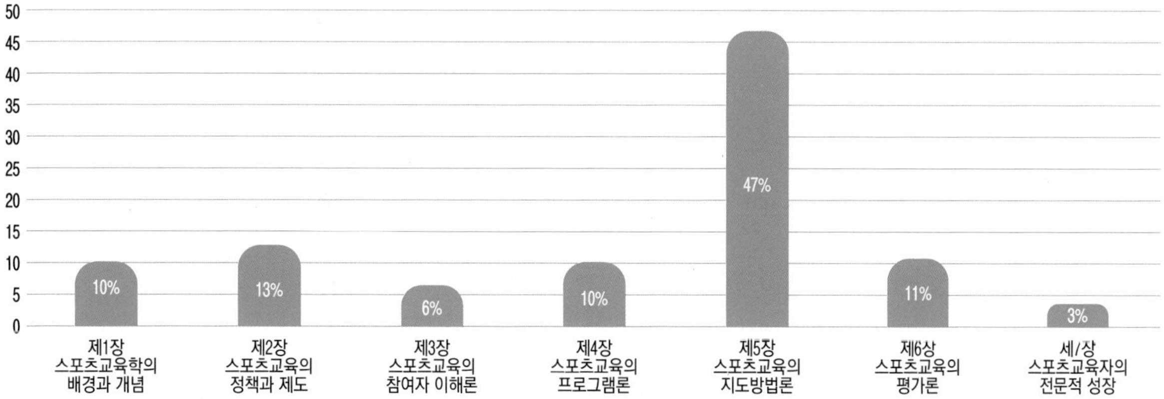

단원별 출제비율 그래프

01 Chapter 스포츠교육학의 배경과 개념

스포츠의 개념

스포츠와 체육은 경우에 따라서는 범위나 역할이 서로 중복되는 경우도 없지는 않으나 엄밀히 말하면 뚜렷이 다른 개념이다. 대부분의 학자들이 체육의 개념을 '신체운동을 통한 교육'이라고 규정하는데 반하여 스포츠의 개념을 규정할 때에는 다음과 같이 3가지 주장들이 있다.

첫째는 신체운동을 행하는 주체의 심리적 태도를 기준 삼아서 스포츠를 규정하는 것이다. 독일의 Carl Diem은 "어떤 신체활동이 스포츠이냐 아니냐는 본인의 마음 자세에 의하여 결정된다." 고 하였다. 예를 들어 같은 사냥이라도 즐기기 위해서 하면 스포츠가 되고 생업을 위해서 하면 직업이 된다는 것이다.

둘째는 신체운동의 기능을 기준 삼아서 스포츠를 규정하는 것이다. 대표적인 예로 영국의 월펜드 위원회의 보고에서는 "사회의 일반 복지에 공헌하는 모든 운동을 스포츠에 포함시킨다."고 규정하고 있다.

셋째는 이미 널리 존재하고 있는 신체운동의 여러 형태를 종합해서 스포츠로 파악하려는 움직임이다. 대표적인 것으로 유럽 스포츠 장관회의에서 채택한 '유럽스포츠헌장'에서는 경쟁적인 게임과 스포츠, 야외활동, 아름다움의 운동, 조정운동 등을 모두 스포츠의 범주에 포함시키고 있다.

스포츠교육의 의미

좁은 의미로는 스포츠를 가르치는 것이라는 의미이지만 넓은 의미로는 학교에서 학생들을 가르치는 학교체육, 일반인들이 취미 또는 건강을 위해서 하는 생활체육, 전문적인 운동선수들이 하는 전문체육을 모두 아우르는 것이 스포츠교육이다.

1 체육과 스포츠교육의 의미 차이

☞ 체육의 의미……인성을 교육하는 데에 의미가 있다.

☞ 스포츠교육의 의미……스포츠를 즐길 수 있는 바탕을 만들어주는 데 의미가 있다.

2 스포츠교육의 목적

☞ 신체의 교육……발육 · 발달을 도와서 신체가 건강하게 자라고 신체의 기능을 효율적으로 수행할 수 있도록 하는 것. 몸을 단련하는 것. 병에 걸리지 않도록 신체를 잘 돌보는 것.

☞ 스포츠의 교육……스포츠 자체를 가르치는 것.

☞ 스포츠를 통한 교육……스포츠를 배우고 즐기는 과정에서 국가 사회에 필요한 참된 인간이 될 수 있도록 가르치는 것.

스포츠교육의 가치

스포츠교육의 목적에서 제시한 신체의 교육, 스포츠의 교육, 신체를 통한 교육을 통해서 인간

생활에 유용한 무엇인가를 얻을 수 있다는 것이 스포츠교육의 가치이다. Bailey 등(2009)은 스포츠교육의 가치를 신체적 가치, 정의적 가치, 인지적 가치로 구분하여 제시하였다.

신체적 가치	신체활동을 통해서 근력, 전신지구력, 순발력, 민첩성 등 체력을 발달시킬 수 있고, 신체의 순환기능, 대사기능, 소화기능 등 여러 가지 신체기능을 유지·발달시킬 수 있으며, 각종 스포츠활동을 통해서 움직임의 능력, 조작능력, 협응능력을 기를 수 있다.
정의적 가치	여러 가지 스포츠활동이나 신체활동을 통해서 인간생활의 긴장감, 스트레스, 욕구불만 등을 해소 또는 완화시키고, 공격성이나 파괴성, 경쟁성 같은 근원적 경향성을 해결함으로써 심리적으로 건강하게 살아갈 수 있게 만든다. 스포츠라는 조직적인 활동을 통해서 다른 사람과 의사소통을 하고 상호작용을 할 수 있는 능력과 사회적 기술을 습득하고 향상시킬 수도 있다.
인지적 가치	건강한 신체에 건전한 정신이 깃든다. 적절한 신체활동을 통해서 감각과 지각을 발달시키는 것이 운동능력의 발달뿐만 아니라 전반적인 인지능력의 발달에 아주 중요한 역할을 한다. 성인이나 노인에게도 스포츠활동이 주의력과 집중력 등 인지기능의 향상에 크게 도움이 된다.

스포츠교육의 역사

인간은 동물이기 때문에 몸을 움직이는 것은 아주 자연스러운 일이고, 신체의 움직임 또는 운동이 생산 활동이라는 형태와 놀이 또는 무예라고 하는 형태로 존재하여왔다. 17~8세기경에 근대식 학교가 생기면서 체육 또는 스포츠가 학교교육의 내용에 들어가게 되었다. 그때부터 유희하는 인간으로서의 신체활동이 중요한 교육영역의 하나로 자리매김하게 되었다.

19세기 초·중반	근대적인 교육사상이 싹트면서 체조 중심의 체육교육과 건강 중심의 체육교육이 발달하기 시작하였다.
19세기 말·20세기 초	루소의 자연주의 교육사상과 듀이의 진보주의 교육사상의 영향을 받아서 신체를 통한 교육으로서의 체육이 강조되었다. 그래서 놀이, 게임, 레크리에이션의 중요성을 크게 부각시킨 '신 체육'이 유행하였다.
1950년대	이 시기에는 아동의 에너지를 발산시키고, 놀이에 대한 욕구를 충족시키며, 사회적 상호작용의 기회를 제공한다는 의미에서 움직임의 교육을 중요시하였다. 움직임의 교육에서는 움직임에 내재되어 있는 보편적인 원리를 배워야 움직임을 효율적이고 아름답게 수행할 수 있다고 주장한다.
체육의 학문화 운동	1960년 이전까지는 체육이 초·중·고등학교의 교육을 담당하는 한 분야이었고, 대학에서는 체육지도자를 길러내기 위한 직업훈련을 담당하고 있었다. 그러다가 1964년에 미국의 헨리(Franklin Henry)가 "학문으로서의 체육"이라는 논문을 체육학회지에 게재한 것을 계기로 교육의 한 분야가 아닌 학문으로서의 체육의 토대가 마련되기 시작하였다. 체육의 학문화 운동이 활발하게 전개되면서 스포츠과학의 하위 학문영역으로 운동생리학, 운동역학, 운동학습, 스포츠심리학 등이 만들어졌다. 그즈음 체육교육을 학문 연구분야의 하나로 발전시키려고 노력한 결과로 스포츠 가르치기, 교육과정, 지도자교육 등을 연구대상으로 하는 스포츠교육학이 스포츠과학의 하위 학문영역 중의 하나로 자리매김하였다.
1970년대	인간주의적 철학사조의 영향을 받아서 학교체육의 1차적인 목표가 인성발달, 표현력 함양, 대인관계의 향상에 있다고 주장하였다. 그 후 시덴토프(Siedentop)를 중심으로 스포츠의 기능, 지식, 태도를 교육시켜서 아이들 스스로 스포츠를 즐기고, 참여하며, 건전한 스포츠문화를 만들어가는 데에 공헌하게 한다는 스포츠교육모형이 처음으로 등장하게 되었다.

스포츠교육학의 연구영역

스포츠 가르치기, 교육과정, 지도자교육이라고 하는 분야들은 연구적인 측면, 적용적인 측면, 실천적인 측면이 어우러져 있기 때문에 스포츠교육학 연구자들은 연구, 코칭, 실천을 함께 병행해야 전문적인 능력을 발휘할 수 있다는 특징이 있다. 그래서 스포츠교육학에서는 학교체육으로서의 스포츠교육, 생활체육으로서의 스포츠교육, 전문체육으로서의 스포츠교육을 모두 취급하여야 된다.

스포츠교육의 내용

스포츠교육은 유아, 어린이, 노인, 장애인에 이르기까지 전 생애에 걸쳐 인간의 신체적 · 정신적 · 사회적 발달에 기여할 수 있다. 스포츠교육은 학교체육, 생활체육, 전문체육 별로 가르치는 성격과 방향은 다르지만 가르치는 내용은 모두 신체활동의 지식이다. 스포츠교육의 내용은 다음 표와 같다.

▶ 체육과교육과정에서 제시한 스포츠교육의 내용

스포츠교육의 내용	주안점 및 내용 구성
건강활동	건강에 관한 지식을 탐구하고, 이를 토대로 심신건강을 증진하고 관리하며, 건강상의 여러 문제를 해결할 수 있는 합리적인 의사결정 능력을 함양하는 데 초점을 둔다. 건강의 실천내용과 방법에 때라 체력증진과 관리, 보건과 안전, 건강관리로 구분한다.
도전활동	개인의 신체적 우월성과 타인의 신체적 기량에 도전하면서 자신의 잠재력을 발견하고, 자신의 한계에 능동적으로 도전할 수 있는 능력계발에 초점을 둔다. 도전의 대상을 기준으로 하여 기록도전, 동작도전, 표적 및 투기도전으로 구분한다.
경쟁활동	신체활동에 존재하는 경쟁과 협동의 원리를 인식하고, 선의의 경쟁과 상호이해를 바탕으로 기본적인 경기수행능력과 다양한 인지전략을 습득하는 데 초점을 둔다. 경쟁의 유형에 따라 피하기형 경쟁, 영역형 경쟁, 필드형 경쟁, 네트형 경쟁으로 구분한다.
표현활동	신체활동의 심미적 요소를 이해하고, 창의적으로 표현하며, 다양한 표현유형과 문화적 특성을 감상하는 데 초점을 둔다. 표현의 대상을 기준으로 움직임표현, 리듬표현, 민속표현, 주제 및 창작표현으로 구분한다.

필수 및 심화 문제

필수문제

01 다음 중 스포츠교육의 의미를 가장 잘 나타낸 것은?

① 스포츠를 체험하고 문화활동을 즐길 수 있도록 가르치고 전수하는 것이다.
② 경쟁, 규칙, 제도의 성격이 조합된 신체활동이다.
③ 계획적인 신체활동을 통해서 인간의 행동을 변화시키는 것이다.
④ 신체의 교육과 신체를 통한 교육을 모두 포함한다.

■ ②는 스포츠의 정의이고, ③, ④는 체육의 정의이다. 체육은 인성을 교육하는 것이고, 스포츠교육은 스포츠를 즐길 수 있는 바탕을 만들어주는 것이다.

심화문제

02 다음 중 운동선수를 대상으로 한 스포츠교육을 가장 적절하게 표현한 것은?

① 운동능력 개발을 최우선 목표로 설정하여 강력한 훈련 프로그램을 실행한다.
② 승리와 우승을 달성하기 위해 모든 수단과 방법을 동원한다.
③ 운동과학의 지식을 응용하여 최고도의 기능을 발휘할 수 있도록 한다.
④ 운동기술을 익히고 시합을 하는 과정에서 참된 자신과 가능성을 깨닫고 삶 속에서 지속적으로 실천해 가도록 한다.

■ 운동선수를 대상으로 하는 전문스포츠교육에서 ①, ②, ③ 모두 부분적으로는 맞지만, 적절한 표현은 아니다.

03 다음 중 현대 스포츠교육의 특성을 총체적으로 가장 잘 표현한 것은?

① 건강 증진 ② 스포츠기술 습득
③ 정서 순화 ④ 전인적 성장

■ ①, ②, ③을 모두 합한 것이 전인적 성장이다.

04 스포츠교육이 지향하고 있는 내용으로 적절하지 않은 것은?

① 활동 목표와 내용, 방법에 있어 통합화와 다양화를 추진하고 있다.
② 훈련과정에서 지도자 자신의 직관에만 근거하여 지도한다.
③ 유아, 청소년, 성인, 노인, 장애인 등 다양한 학습자를 대상으로 한다.
④ 학교체육－생활체육－전문체육을 연계적으로 발전시키고자 한다.

■ 지도자는 훈련 과정에서 스포츠 과학에 관한 전문 지식, 종목에 대한 체계적이고 전문적인 지도 능력, 선수 파악 능력, 사명감과 도덕성 등을 갖추고 선수를 지도해야 한다.

05 움직임 기능에 적합한 학습과제가 바르게 연결된 것은?

① 이동 운동기능－한 발로 뛰어 목표 지점까지 도달하기
② 비이동 운동기능－훌라후프 던지고 받기
③ 물체 조작기능－음악을 듣고 움직임 표현하기
④ 도구 조작기능－평균대 위에서 균형 잡기

■ **비이동 운동기능** : 장소를 이동하지 않고 몸을 움직이는 것
■ **물체 조작기능** : 물체를 감지하고 조작하는 것
■ **도구 조작기능** : 도구를 조작하는 것

정답 01 : ①, 02 : ④, 03 : ④, 04 : ②, 05 : ①

필수문제

06 다음 중 신체를 통한 교육과 관계가 먼 것은?

① 신체훈련이 인간의 교육을 완성하는 데에 중요한 역할을 한다.
② 신체와 정신은 분리될 수 없다.
③ 놀이, 게임, 스포츠, 레크리에이션 등 다양한 활동을 교육내용으로 한다.
④ 신체의 발달과 건강을 위한 신체의 기능을 교육하려고 한다.

■ 스포츠와 같이 신체를 이용해서 하는 어떤 활동을 통해서 인간답게 사는 것을 교육하는 것이 신체를 통한 교육이다.
④는 신체의 교육에 해당된다.

필수문제

07 보기에 해당하는 스포츠 창의성의 요소로 가장 적절한 것은?

보기
농구 경기에서 상대팀의 기능이 우수한 센터를 방어하기 위해 팀원들이 기존의 수비법을 변형하고, 대인방어와 지역방어를 혼합한 수비법을 즉흥적으로 구상하여 적용한다.

① 표현적 창의력
② 전술적 창의력
③ 기능적 창의력
④ 심미적 창의력

■ 수비방법은 일종의 전술이다.

필수문제

08 보기에서 블룸(B. Bloom)의 인지적 영역 수준에 해당하는 것은?

보기
배드민턴 경기에서 상대 선수의 서비스를 받을 때, 낮고 짧은 서비스와 높고 긴 서비스의 대처 방법이 어떻게 달라져야 하는지를 알 수 있다.

① 이해 ② 평가 ③ 분석 ④ 기억

■ **블룸(B. Bloom)의 인지적 영역**
· 지식 : 사전에 학습된 정보의 회상 능력
· 이해 : 정보의 의미 이해 능력
· 적용 : 정보의 새롭고 구체적인 적용 능력
· 분석 : 자료를 구성 요소로 분류하여 이 요소들 간의 상호 관계 이해 능력
· 종합 : 부분을 전체로 통합하는 능력
· 평가 : 상반되는 의견이 있는 상황에서 가치 판단 능력

필수문제

09 보기에서 지용이가 학교스포츠클럽 활동을 통해 얻은 교육적 가치로 가장 적절한 것은?

보기
지용이는 학교스포츠클럽 농구팀에 소속되어 다양한 대회에 참여하면서 경기규칙을 준수하고, 친구들과 서로 협동하고 배려하는 행동을 보여주었다.

① 신체적 가치
② 인지적 가치
③ 정의적 가치
④ 기능적 가치

■ 신체적 가치는 몸을 건강하게 만드는 가치이고, 인지적 가치는 스포츠 규칙이나 역사 · 원리 등과 같은 지식을 배우는 가치이며, 정의적 가치는 인간의 성품을 기르는 가치이다.

정답 06 : ④, 07 : ②, 08 : ③, 09 : ③

심화문제

10 체육 프로그램의 목표로 정의적 영역(affective domain)에 해당하는 것은?

① 축구에서 인사이드 패스를 실행할 수 있다.
② 배구에서 동료와 협력할 수 있다.
③ 야구에서 스윙 동작을 분석하고 평가할 수 있다.
④ 농구에서 지역방어 전략을 사용할 수 있다.

■ 정의적 영역 : 태도, 흥미, 습관, 가치관, 성격 등 인간의 성품을 기르는 영역

11 스포츠 인성교육 조건에 대한 설명으로 적절하지 않은 것은?

① 스포츠 활동에서 바람직한 행동을 지속적으로 반복하도록 한다.
② 학습자가 올바른 도덕적 의식을 가지고 자율적으로 실천하도록 한다.
③ 지도자가 바람직한 인성의 역할 모델로서 스포츠맨십의 모범을 보여준다.
④ 스포츠 활동과 인성의 요소를 독립적으로 구분하여 지도한다.

■ 스포츠활동을 통해서 인성교육을 해야 한다.

12 스포츠교육학이 추구하는 가치영역이 아닌 것은?

① 인지적 영역 ② 평가적 영역
③ 심동적 영역 ④ 정의적 영역

■ 스포츠교육의 가치는 신체적 가치, 인지적 가치, 정의적 가치로 나누지만, 스포츠교육학의 가치영역은 인지적 영역, 심동적 영역, 정의적 영역으로 나눈다.

필수문제

13 보기에서 괄호 안에 알맞은 용어는?

> 보기
> 진보주의 교육이론은 신체와 정신은 서로 분리될 수 없으며, 모든 교육적 활동은 지적 · 도덕적 · 신체적 결과를 동시에 가져다준다는 것을 강조한다. 이 이론은 체육교육의 목적이 '체조 중심의 체육'에서 (　　)으로 전환되는 철학적 근거를 마련해 주었다.

① 신체를 통한 교육 ② 체력 중심의 교육
③ 신체의 교육 ④ 움직임 교육

■ 진보주의 교육에서는 신체를 통한 교육으로의 체육을 강조한다.

■ 스포츠교육의 발전과정
- 신체를 통한 교육 : 19세기 초 중반에는 체조 중심의 스포츠교육이었으나, 19세기 말부터 21세기 초에는 신체를 통한 교육으로 전환되었음.
- 체력 중심의 교육(19세기 초 · 중반) : 체조 중심의 스포츠로 이상적인 남성상, 아마추어리즘과 페어플레이 강조 등 건강 중심의 기독교 주의 체육
- 신체의 교육(20세기 초) : 학교체육의 이론적 기초인 신체의 교육에 기초한 신체의 발달과 건강을 위한 체육
- 움직임 교육(1950년대 이후) : 교육체조, 교육무용, 교육게임으로 구분한 교육과정인.

심화문제

14 스포츠교육학에 관한 설명으로 옳지 않은 것은?

① 학교체육, 생활체육, 전문체육을 모두 포괄한다.
② 체육교육과정, 체육수업, 체육교사교육 등을 연구영역으로 한다.
③ 체육 학문화 운동으로 스포츠교육학은 1940년대에 학문적으로 체계화되었다.
④ 교육적 관점에서 모든 연령층의 신체활동을 다룬다.

■ 1970년대에 스포츠교육학이 학문적 체계를 갖추었다.

정답 10 : ②, 11 : ④, 12 : ②, 13 : ①, 14 : ③

필수문제

15 보기의 ㉠, ㉡에 해당하는 용어가 바르게 연결된 것은?

보기
1960년대 중반 미국을 중심으로 전개된 (㉠)은 스포츠교육학이 체육학의 하위학문 분야로 성장하는데 촉매제 역할을 하였다. 결국 신체 활동을 지도할 때 학문을 기반으로 한 (㉡)지식을 스포츠 참여자에게 가르쳐야 한다는 주장이 본격적으로 제기되기 시작했다.

㉠	㉡
① 체육 학문화 운동	이론적
② 체육 학문화 운동	경험적
③ 체육 과학화 운동	경험적
④ 체육 과학화 운동	이론적

■ 미국의 헨리(F. Henry)의 논문인 "학문으로서의 체육"이 발표되면서 **체육의 학문화 운동**이 시작되었다. 이것이 스포츠 교육학 성장의 촉매제가 되면서 **이론적 지식**을 스포츠 참여자에게 가르쳐야 한다는 주장이 제기됨.

필수문제

16 다음 중 스포츠 교육학의 연구영역이 아닌 것은?

① 스포츠 가르치기
② 경쟁활동과 건강활동
③ 스포츠 지도자 교육
④ 스포츠 교육의 교육과정

■ ②는 스포츠교육학의 연구영역이 아니라 스포츠교육의 내용이다.

심화문제

17 스포츠교육학의 연구영역이 아닌 것은?

① 교사(지도자) 교육
② 교수(수업) 방법
③ 교육과정(프로그램)
④ 교육행정

■ 교육행정은 스포츠교육학의 연구영역이 아니다.

18 스포츠교육학의 실천영역이 아닌 것은?

① 학교체육
② 생활체육
③ 전문체육
④ 전인체육

■ 전인체육이라는 말은 없다.

정답 15 : ①, 16 : ②, 17 : ④, 18 : ④

필수문제

19 다음 설명 중에서 옳은 것은?

① 스포츠교육의 내용을 건강활동, 도전활동, 경쟁활동, 창작활동으로 나눌 수 있다.
② 탈춤과 발레는 표현활동이지만 힙합댄스는 도전활동이다.
③ 건강활동의 하위 영역에는 체력, 보건, 안전이 있다.
④ 놀이나 게임은 스포츠교육의 내용이 될 수 없다.

■ ①은 창작활동을 표현활동으로 고쳐야 맞고, ②에서는 힙합댄스도 표현활동에 포함되고, ④는 놀이나 게임도 스포츠교육 내용에 포함된다.

심화문제

20 다음 중 학교체육 활동의 교과영역에 포함되지 않는 것은?

① 경쟁활동　　② 여가활동
③ 건강활동　　④ 클럽활동

■ 교과영역은 체육교과서에 있는 내용을 도전활동, 경쟁활동, 건강활동, 여가활동으로 나눈 것이고, 클럽활동은 방과 후 활동이다.

정답 19 : ③, 20 : ④

02 Chapter 스포츠교육의 정책과 제도

국민체육진흥법

1 국민체육진흥법의 제정 배경과 의의

국민체육진흥법은 1962년 9월 17일에 국가재건최고회의에서 법률 제1146호로 공포된 후 10여 차례 개정되었다. 국민체육진흥법의 제정은 법적 · 제도적으로 본격적인 국민체육의 시대를 여는 출발점이 되었고, 체육정책 전개의 기본 틀을 확립했다는 점에서 그 의의가 크다.

국민체육진흥법은 제1장 총칙에서 국민체육진흥의 목적을 국민의 체력증진과 건전한 정신의 함양에 두고 있음을 명백히 밝히고, 이를 뒷받침하기 위한 제반 조치들을 제2장 체육진흥을 위한 조치에서 자세히 다루고 있다. 이와 같이 국민체육진흥법의 제정을 통해 국민의 체력증진에 대한 관심을 새롭게 제고해 국가와 지방자치단체가 체육진흥에 관한 시책을 강구하도록 했고, 이를 효율적으로 해 나갈 수 있도록 체육심의회를 구성하는 등 제도적 장치 마련을 병행했다.

국민체육진흥법은 지도자 양성의 중요성을 언급하고, 동 시행령을 통해 체육지도자의 양성과 자질 향상을 위한 조치를 취했다. 그밖에도 국제 기준에 맞는 국립 종합경기장을 설치 운영하고, 체육용구의 생산을 장려하는 데 필요한 조치를 강구할 수 있도록 했을 뿐만 아니라, 국가가 지방자치단체와 체육단체, 그리고 민간 체육시설에 국고를 보조할 수 있도록 했다.

2 용어의 정의

- 체육이란 운동경기와 야외활동 등 신체활동을 통하여 건전한 신체와 정신을 기르고 여가를 선용하는 것을 말한다.
- 전문체육이란 선수들이 행하는 경기활동을 말한다.
- 생활체육이란 건강과 체력 증진을 위하여 행하는 자발적이고 일상적인 체육활동을 말한다.
- 선수란 경기단체에 선수로 등록 된 자를 말한다.
- 국가대표선수란 대한체육회, 대한장애인체육회 또는 경기단체가 국제경기대회에 우리나라 대표로 파견하기 위하여 선발 · 확정한 사람을 말한다.
- 학교란 초 · 중등교육법 및 고등교육법에 따른 학교를 말한다.
- 체육지도자란 학교 · 직장 · 지역사회 · 체육단체 등에서 체육을 지도할 수 있는 자를 말하고, 스포츠지도사, 건강운동관리사, 장애인스포츠지도사, 유소년스포츠지도사, 노인스포츠지도사의 어느 하나 이상의 자격을 취득한 사람을 말한다.
- 운동경기부란 선수로 구성된 학교나 직장 등의 운동부를 말한다.
- 체육단체란 체육에 관한 활동이나 사업을 목적으로 설립된 법인이나 단체를 말한다.
- 도핑이란 선수의 운동능력을 강화시키기 위하여 문화체육관광부장관이 고시하는 금지목록에 포함된 약물 또는 방법을 복용하거나 사용하는 것을 말한다.
- 경기단체란 특정 경기 종목에 관한 활동과 사업을 목적으로 설립되고, 대한체육회나 대한장애인체육회에 가맹된 법인이나 단체 또는 문화체육관광부장관이 지정하는 프로스포츠단체를 말한다.

3 국민체육(생활체육) 관련 사항

☞ 문화체육관광부장관은 국민체육진흥에 관한 기본시책을 수립 · 시행하고, 지방자치단체의 장은 기본시책에 따라 그 지방자치단체의 체육진흥계획을 수립 · 시행하여야 한다.

☞ 지방자치단체는 지역주민의 건강과 체력증진을 위하여 건전한 체육활동을 생활화 할 수 있도록 시설 등 여건을 조성하고 지원하여야 한다.

☞ 국가와 지방자치단체는 직장체육 진흥에 필요한 시책을 마련하여야 하고, 직장의 장은 필요한 조치를 마련하여야 한다.

☞ 국가는 국민체육 진흥을 위한 체육지도자의 양성과 자질 향상을 위하여 필요한 시책을 마련하여야 하고, 문화체육관광부장관은 자격검정에 합격하고 연수과정을 이수한 사람에게 스포츠지도자의 자격증을 발급한다. (자격을 취소 또는 정지시킬 수도 있다.)

☞ 국가와 지방자치단체는 국민이 여가를 선용할 수 있도록 하기 위하여 여가체육활동의 육성 · 지원에 필요한 시책을 마련하여야 한다.

☞ 국가와 지방자치단체는 생활체육에 관한 국민들의 자발적 참여를 유도하고 과학적 체력관리를 지원하기 위하여 생활체육 활동 및 체력에 대한 인증에 필요한 시책을 마련하여야 한다.

☞ 국가와 지방자치단체는 국민체육 진흥을 위하여 체육용구 등의 생산 · 장려에 필요한 조치를 마련하여야 한다.

☞ 체육진흥에 필요한 시설비용, 체육인의 복지향상, 체육단체육성, 학교체육 및 직장체육 육성, 체육 · 문화 · 예술 전문 인력 양성 및 취약분야 육성 등에 필요한 경비를 지원하기 위하여 국민체육진흥기금을 설치한다.

☞ 서울올림픽 기념 국민체육진흥공단은 국민의 여가 체육 육성 및 체육진흥 등에 필요한 재원 조성을 위하여 체육진흥투표권(체육복권) 발행 사업을 할 수 있다.

☞ 체육진흥에 관한 다음 각 호의 사업과 활동을 하게 하기 위하여 문화체육관광부장관의 인가를 받아 대한체육회, 대한장애인체육회, 한국도핑방지위원회, 서울올림픽 기념 국민체육진흥공단을 설립한다.

4 전문체육 관련 사항

☞ 국가와 지방자치단체는 선수와 체육지도자에 대하여 필요한 보호와 육성을 해야 한다. (표창제도, 우수선수와 체육지도자의 고용제도, 장려금지급제도 등)

☞ 국가는 국가대표선수 또는 지도자가 사망 또는 중증 장애를 입은 경우에 대한민국 체육유공자로 지정하고 국가 유공자에 준하는 보상을 하여야 한다.

☞ 전문체육에 해당하는 운동경기의 선수 · 감독 · 코치 · 심판 및 경기단체의 임직원은 운동경기에 관하여 부정한 청탁을 받고 재물이나 재산상의 이익을 받거나 요구 또는 약속하여서는 아니 된다.

☞ 국가는 스포츠활동에서 약물 등으로부터 선수를 보호하고 공정한 경쟁을 통한 스포츠정신을 높이기 위하여 도핑방지를 위한 시책을 마련하여야 한다.

☞ 국민체육진흥기금을 선수와 체육지도자 양성을 위한 사업, 선수 · 체육지도자 및 체육인의 복지향상을 위한 사업에 사용할 수 있다.

☞ 대한체육회, 대한장애인체육회, 한국도핑방지위원회, 서울올림픽 기념 국민체육진흥공단 등의 각종 사업과 활동에는 전문체육 관련 내용이 다수 포함되어 있다.

5 학교체육 관련 사항

☞ 학교는 학생의 체력증진과 체육활동 육성에 필요한 조치를 마련하여야 한다.

☞ 국가는 회계연도마다 예산의 범위에서 지방자치단체와 학교 등에 대하여 체육진흥에 필요한 경비의 일부를 보조한다.

☞ 국민체육진흥기금을 학교체육 활성화를 위한 사업, 학교 및 직장의 운동경기부 활성화를 위한 사업에 사용할 수 있다.

학교체육

1 교육과정

교육과정이란 초 · 중 · 고등학교 수업에 필요한 교육내용, 교수학습방법, 평가방법 등을 교육인적자원부에서 정해서 해당 기관과 각급 학교에 교육인적자원부장관의 명의로 하달하는 공식문서를 말한다.

다음은 2015년에 개정된 교육과정의 주요 내용을 발췌 · 요약한 것이다.

2 추구하는 인간상

우리나라의 교육은 홍익인간의 이념 아래 모든 국민으로 하여금 인격을 도야하고, 자주적 생활능력과 민주시민으로서 필요한 자질을 갖추게 함으로써 인간다운 삶을 영위하게 하고, 민주국가의 발전과 인류공영의 이상을 실현하는 데에 이바지함을 목적으로 하고 있다.

이러한 교육이념과 교육목적을 바탕으로, 이 교육과정이 추구하는 인간상은 다음과 같다.

☞ 전인적 성장을 바탕으로 자아 정체성을 확립하고 자신의 진로와 삶을 개척하는 자주적인 사람.

☞ 기초능력의 바탕 위에 다양한 발상과 도전으로 새로운 것을 창출하는 창의적인 사람.

☞ 문화적 소양과 다원적 가치에 대한 이해를 바탕으로 인류문화를 향유하고 발전시키는 교양 있는 사람.

☞ 공동체 의식을 가지고 세계와 소통하는 민주시민으로서 배려와 나눔을 실천하는 더불어 사는 사람.

3 중점적으로 기르고자 하는 핵심역량

이 교육과정이 추구하는 인간상을 구현하기 위해 교과교육을 포함한 학교교육 전 과정을 통해 중점적으로 기르고자 하는 핵심역량은 다음과 같다.

☞ 자아정체성과 자신감을 가지고 자신의 삶과 진로에 필요한 기초능력과 자질을 갖추어 자기 주도적으로 살아갈 수 있는 자기관리 역량.

☞ 문제를 합리적으로 해결하기 위하여 다양한 영역의 지식과 정보를 처리하고 활용할 수 있는 지식정보처리 역량.

☞ 폭넓은 기초지식을 바탕으로 다양한 전문 분야의 지식 · 기술 · 경험을 융합적으로 활용하여 새로운 것을 창출하는 창의적 사고 역량.

☞ 인간에 대한 공감적 이해와 문화적 감수성을 바탕으로 삶의 의미와 가치를 발견하고 향유

하는 심미적 감성 역량.

☞ 다양한 상황에서 자신의 생각과 감정을 효과적으로 표현하고 다른 사람의 의견을 경청하며 존중하는 의사소통 역량.

☞ 지역 · 국가 · 세계 공동체의 구성원에게 요구되는 가치와 태도를 가지고 공동체 발전에 적극적으로 참여하는 공동체 역량.

4 학교 급별 교육목표

▶ 초등학교

학생의 일상생활과 학습에 필요한 기본 습관 및 기초능력을 기르고 바른 인성을 함양하는 데에 중점을 둔다.

☞ 자신의 소중함을 알고 건강한 생활습관을 기르며, 풍부한 학습 경험을 통해 자신의 꿈을 키운다.

☞ 학습과 생활에서 문제를 발견하고 해결하는 기초 능력을 기르고, 이를 새롭게 경험할 수 있는 상상력을 키운다.

☞ 다양한 문화 활동을 즐기고 자연과 생활 속에서 아름다움과 행복을 느낄 수 있는 심성을 기른다.

☞ 규칙과 질서를 지키고 협동정신을 바탕으로 서로 돕고 배려하는 태도를 기른다.

▶ 중학교

초등학교 교육의 성과를 바탕으로, 학생의 일상생활과 학습에 필요한 기본능력을 기르고 바른 인성 및 민주시민의 자질을 함양하는 데에 중점을 둔다.

☞ 심신의 조화로운 발달을 바탕으로 자아존중감을 기르고, 다양한 지식과 경험을 통해 적극적으로 삶의 방향과 진로를 탐색한다.

☞ 학습과 생활에 필요한 기본 능력 및 문제 해결력을 바탕으로, 도전정신과 창의적 사고력을 기른다.

☞ 자신을 둘러싼 세계에서 경험한 내용을 토대로 우리나라와 세계의 다양한 문화를 이해하고 공감하는 태도를 기른다.

☞ 공동체 의식을 바탕으로 타인을 존중하고 서로 소통하는 민주시민의 자질과 태도를 기른다.

▶ 고등학교

중학교 교육의 성과를 바탕으로, 학생의 적성과 소질에 맞게 진로를 개척하여 세계와 소통하는 민주시민으로서의 자질을 함양하는 데에 중점을 둔다.

☞ 성숙한 자아의식과 바른 품성을 갖추고, 자신의 진로에 맞는 지식과 기능을 익히며 평생학습의 기본능력을 기른다.

☞ 다양한 분야의 지식과 경험을 융합하여 창의적으로 문제를 해결하고, 새로운 상황에 능동적으로 대처하는 능력을 기른다.

☞ 인문 · 사회 · 과학기술 소양과 다양한 문화에 대한 이해를 바탕으로 새로운 문화 창출에 기여할 수 있는 자질과 태도를 기른다.

☞ 국가공동체에 대한 책임감을 바탕으로 배려와 나눔을 실천하며 세계와 소통하는 민주시민

5 학교체육진흥법

이 법은 학생의 체육활동 강화 및 학교운동부 육성 등 학교체육 활성화에 필요한 사항을 정함으로써 학생들이 건강하고 균형 잡힌 신체와 정신을 가질 수 있도록 하는 데에 기여할 목적으로 제정한 법률이다.

6 용어의 정의

☞ 학교란 유아교육법에서 정하는 유치원과 초 · 중등교육법에서 정하는 학교를 말한다.
☞ 학교운동부란 학생선수로 구성된 학교 내 운동부를 말한다.
☞ 학생선수란 학교운동부에 소속되어 운동하는 학생이나 국민체육진흥법에 따른 체육단체에 등록되어 선수로 활동하는 학생을 말한다.
☞ 학교스포츠클럽이란 체육활동에 취미를 가진 같은 학교의 학생들로 구성되어 학교가 운영하는 스포츠클럽을 말한다.
☞ 스포츠강사란 초등학교에서 정규체육수업 보조 및 학교스포츠클럽을 지도하는 체육 전문강사를 말한다.

7 주요 내용

☞ 교육인적자원부 장관은 문화체육관광부 장관과 협의하여 학교체육 진흥에 관한 기본 시책을 5년마다 수립 · 시행해야 한다.
☞ 지방자치단체의 장과 시 · 도 교육감은 기본 시책에 따라 학교체육 진흥계획을 수립 · 시행하여야 한다.
☞ 학교의 장은 체육교육과정 운영 충실 및 체육수업의 질 제고, 학생건강 체력평가, 학교스포츠클럽 및 학교운동부 운영, 학생선수의 학습권 보장 및 인권보호, 여학생 체육활동 활성화, 유아 및 장애학생의 체육활동 활성화 등을 위하여 적절한 조치를 취해야 한다.
☞ 국가 및 지방자치단체는 학생의 체육활동에 필요한 기반시설을 확충해야 하고, 학교의 장은 학생의 체육활동 진흥에 필요한 교재 및 기자재, 용품 등을 확보해야 한다.
☞ 학교의 장은 학생건강 체력평가를 매년 실시해야 하고, 그 결과를 학생과 학부모에게 통보하여야 하며, 저 체력 또는 비만 판정을 받은 학생을 대상으로 건강체력 교실을 운영하여야 한다.
☞ 학교의 장은 학교스포츠클럽을 운영해야 하고, 전담교사를 지정해야 한다.
☞ 학교의 장은 학생선수가 최저학력에 도달하지 못한 경우에는 별도의 기초학력 보장 프로그램을 운영해야 하고, 필요할 경우 경기대회 출전을 제한할 수 있다.
☞ 학교운동부 지도자를 둘 수 있고, 국가 및 지방자치단체는 학교운동부 지도자의 급여를 지원하도록 노력해야 한다.
☞ 국가 및 지방자치단체는 학생의 체육수업 흥미 제고 및 체육활동 활성화를 위하여 초등학교에 스포츠강사를 배치할 수 있다.

8 학생선수의 최저학력 기준

과목	초 · 중학교 국어 · 영어 · 수학 · 사회 · 과학 고등학교 국어 · 영어 · 수학
최저점수	학생선수가 속한 학교의 해당 학년 학생 전체의 해당 과목 평균 성적에 다음의 비율을 곱한 점수 초등학교 100분의 50 중학교 100분의 40 고등학교 100분의 30
학교운동부 지도자의 자격	국민체육진흥법에 따른 체육지도자 중에서 임용한다.
스포츠강사의 자격 기준	국민체육진흥법에 따른 체육지도자 중에서 1년 단위로 임용한다.

생활체육

1 국민체육 진흥정책

박근혜 정부가 출범하면서 스포츠를 마음껏 일상적으로 100세까지 즐겨서 건강하고 행복한 대한민국을 건설하자는 뜻에서 스마일 100이라는 구호를 제시하였다.

2 언제나 참여할 수 있는 기회 제공

☞ 좋은 시설, 편리한 정보보다 참여 동기가 중요하다고 보고 전국 68개 거점도시에 체력센터를 설치하여 체력측정 및 운동처방을 해줌으로써 과학적으로 체력을 관리하여 국민들이 생활체육에 자발적으로 참여하도록 유도한다.

☞ 직장인들의 항시 스포츠에 참여를 유도하기 위하여 체력 및 건강 진단, 운동 상담 등을 지원한다.

☞ 노인 복지시설을 방문하여 체력측정 및 운동처방에 관한 서비스를 제공한다.

3 어디서나 이용 가능한 시설 제공

☞ 어디서든지 이용 가능한 체육시설 환경을 제공한다.

☞ 체육시설을 건립할 부지가 모자라므로 체육시설의 효율성을 높인다.

☞ 국가와 지방자치단체는 체육시설 배치계획을 수립 · 시행하여야 하고, 작은 체육관(경로당, 동네의 지역사회 공간, 폐교, 파출소 등)을 활성화하여 주민의 접근성을 높인다.

4 누구나 부담 없이 체육활동을 할 수 있는 환경 조성

☞ 체육지도자를 확대 배치하여 원하는 사람은 누구나 지도받을 수 있는 기회를 제공한다.

☞ 유소년스포츠지도사를 어린이집과 유치원 등에 파견하고, 노인복지관과 주민자치센터 등에 노인스포츠지도사를 배치하여 순회 지도를 실시한다.

☞ 국민들이 '생활체육콜센터'를 통해서 주변의 가까운 체육시설을 확인하고, 건강체력관리 방법에 관한 다양한 정보를 손쉽게 얻을 수 있도록 한다.

5 세대와 문화를 넘어 함께 참여하는 생활체육

☞ 지역 단위의 어울림 프로그램을 활성화하여 함께 참여하고 공감하는 생활체육 환경을 조성한다.

☞ '종합형 스포츠클럽'을 육성하여 다양한 종목 및 프로그램을 한곳에서 참여할 수 있도록 거점을 구축하고, 회원이 주인이 되어 자율적으로 운영하는 시스템을 마련한다.

☞ 지역의 축제와 연계하여 생활체육 한마당을 개최하고, 마을 단위 생활체육대회를 개최하여 함께 어우러져 공감하는 문화를 조성해나간다.

6 걸림돌 없이 즐기는 생활체육

☞ 우수 체육시설 인증제도를 도입하고, 생애주기별 · 선호도 · 신체 나이에 부합되는 생활체육프로그램을 제공한다.

☞ 유소년에게 알맞은 프로그램을 개발 · 보급하여 올바른 운동습관을 형성하게 한다.

☞ 출산 · 육아 여성을 대상으로 찾아가는 생활체육 지도 서비스제도를 운영한다.

☞ 매일 아침저녁으로 TV 체조 강좌를 방영하고, 일상활동에서 활용할 수 있는 건강체조나 댄스 스포츠와 같은 노인맞춤형 프로그램을 보급한다.

7 직장체육 진흥정책

국민체육진흥법과 학교체육진흥법에서 규정한 동호인 조직을 의무적으로 설치하고 상시 근무하는 체육지도자를 두어야 하는 직장은 직원이 1천 명 이상인 국가기관과 공공단체이다.

해당하는 직장에서는 운동경기부와 체육동호인 조직의 활동을 위한 시설을 제공하고 경비를 지원해야 하며, 1년에 1회 이상 직장체육대회와 직장대항 경기대회를 개최하여야 한다.

☞ 직장인의 체력 및 건강진단, 운동상담, 지도 등을 지원한다.

☞ 직장의 틈새시간에 체육지도자를 파견하여 직장체육 활성화를 유도한다.

☞ 생활체육 동호인 조직은 회원 중심의 자율운영 시스템을 기반으로 다양한 종목과 프로그램에 참여할 수 있는 종합형 스포츠클럽을 229개 소로 확대한다.

8 소외계층 체육진흥정책

국민생활체육활동 참여 실태조사 결과 저소득층이나 주부, 노인 등은 생활체육 활동에 참여하는 비율이 낮게 나타났다. 그와 같은 소외계층을 위해서

☞ 스포츠 프로그램과 스포츠 용품을 갖춘 스포츠 버스를 제작해서 '움직이는 체육관'과 '작은 운동회'를 운영함으로써 스포츠 활동에 참여할 수 있는 기회를 제공한다.

☞ 불우아동, 청소년, 소외계층 등을 대상으로 하는 '행복나눔 스포츠교실'을 680개 소로 늘리고, 스포츠 바우처 강좌를 53,000명까지 확대한다.

☞ 다세대, 다계층, 다문화가 어우러진 '어울림스포츠광장'을 1,000개 소로 확대한다.

전문체육

1 국민체육진흥기금 지원

국민체육진흥기금으로 대한체육회, 종목별 경기단체, 경기력 향상을 위한 선수 및 지도자 육성 사업, 체육인 복지사업 등을 지원함으로써 전문체육을 체계적으로 육성하여 대한민국이 세계 10위권의 스포츠강국으로 자리매김할 수 있도록 여건을 조성하고 있다.

2 주요 지원사업

- ⑧ 통합체육회의 운영 및 각종 사업비 지원
- ⑧ 가맹 경기단체 지원
- ⑧ 후보 선수 육성 및 비인기 종목 활성화사업 지원
- ⑧ 각종 국내대회 지원
- ⑧ 체육인 복지사업(경기력 향상 연금, 경기지도자 연구비, 장애연금, 체육장학금, 선수지도자 보호 지원금, 특별보조금, 국외유학 지원금, 복지후생 비용)의 지원

3 학생선수의 학습권 보장

학생선수들의 학력저하 문제를 해결하기 위해서 도입된 학습권 보장과 관련이 있는 법령과 제도의 내용은 다음과 같다.

- ☞ 학교의 장은 학생선수가 최저학력에 도달하지 못한 경우에는 별도의 기초학력 보장 프로그램을 운영하여 최저학력이 보장될 수 있도록 노력하여야 하며, 필요한 경우 경기대회 출전을 제한할 수 있다.
- ☞ 학교의 장은 학생선수의 학습권 보장 및 신체적 · 정신적 발달을 위하여 학기 중의 상시 합숙훈련이 근절될 수 있도록 노력하여 한다.
- ☞ 학교의 장은 원거리에서 통학하는 학생선수를 위하여 기숙사를 운영할 수 있다.

4 학생선수의 학습권 보장제도의 문제점

⑧ 하루 운동시간에 대한 제한이 없다.

미국 NCAA의 규정에는 학생선수의 하루 운동시간을 2시간으로 제한하고 있으나, 우리나라에는 운동시간을 제한하는 규정이 없다.— 공부하는 학생선수가 되기 어렵다.

⑧ 제도가 너무 관대하다.

최저학력에 미달되는 학생선수에 대한 제재조치를 학교장의 제량에 맡기고 있다. – 기초학력 보장프로그램의 수료가 학교장의 묵인 아래에 형식적으로 이루어질 가능성이 있다.

필수 및 심화 문제

필수문제

01 보기의 국민체육진흥법(2020. 8. 18, 일부개정) 제12조의3의 내용 중 ㉠, ㉡에 해당하는 용어가 바르게 연결된 것은?

문화체육관광부장관은 체육지도자 및 체육단체의 책임이 있는 자가 체육계 인권침해 및 (㉠)와/과 관련하여 (㉡)이/가 확정되는 경우에는 운영위원회의 심의 · 의결을 거쳐 그 인적사항 및 비위 사실 등을 공개할 수 있다.

	㉠	㉡
①	폭행	자격정지
②	스포츠비리	유죄판결
③	폭행	행정처분
④	스포츠비리	자격취소

■ 국민체육진흥법 제12조의3(체육계 인권침해 및 스포츠비리관련 명단 공개)
문화체육관광부장관은 체육지도자 및 체육단체의 책임이 있는 자가 체육계 인권침해 및 스포츠 비리와 관련하여 유죄판결이 확정되는 경우에는 운영위원회의 심의 · 의결을 거쳐 그 인적사항 및 비위 사실을 공개할 수 있다.

심화문제

02 다음 체육진흥정책과 계획의 수립에서 올바르지 않은 것은?

① 선수와 체육지도자의 보호 · 육성
② 체육시설의 설치와 유지 · 보수 및 관리
③ 문화체육관광부장관은 기본시책을 수립한 때에는 시 · 도지사에게 알려야 한다.
④ 지방자치단체의 장은 체육진흥 계획과 그 추진실적을 대통령에게 보고하여야 한다.

■ 국민체육진흥법 제14조 : 국가와 지방자치단체는 선수와 체육지도자를 보호 육성해야 하고, 표창제도를 마련해야 하고, 문화체육관광부장관이 요청하면 아마추어선수 생활을 계속할 수 있도록 고용해야 하고, 유공자에게 장려금이나 생활보조금을 지급해야 한다.

03 보기에서 국민체육진흥법(2019.1.15. 일부개정)에 명시된 내용에 해당하는 것으로만 묶인 것은?

보기
㉠ 국가와 지방자치단체는 스포츠강사와 체육지도자를 배치하여야 한다.
㉡ 지방자치단체는 직장인 체육대회를 연 1회 이상 개최하여야 한다.
㉢ 국가와 지방자치단체는 우수선수와 체육지도자 육성을 위해 필요한 표창제도를 마련하여야 한다.
㉣ 체육동호인조직이란 같은 생활체육 활동에 지속적으로 참여하는 자의 모임을 말한다.

① ㉠, ㉡, ㉢ ② ㉠, ㉡, ㉣ ③ ㉠, ㉢, ㉣ ④ ㉡, ㉢, ㉣

■ ㉠의 스포츠강사는 학교체육진흥법에 있는 내용이다.

정답 01 : ②, 02 : ④, 03 : ④

04 **국민체육진흥법과 동 시행령(2019. 1. 15) 제2조에서 규정한 체육지도자의 명칭과 역할에 대한 설명이 적절하지 않은 것은?**

① 스포츠지도사 : 초 · 중등학교 정규수업 보조 및 학교스포츠 클럽을 지도하는 체육전문강사를 말한다.

② 노인스포츠지도사 : 노인의 신체적 · 정신적 변화 등에 대한 지식을 갖추고 … (중략) … 노인을 대상으로 생활체육을 지도하는 사람을 말한다.

③ 유소년스포츠지도사 : 유소년의 행동양식, 신체발달 등에 대한 지식을 갖추고 … (중략) … 유소년을 대상으로 체육을 지도하는 사람을 말한다.

④ 장애인스포츠지도사 : 장애 유형에 따른 운동방법 등에 대한 지식을 갖추고 … (중략) … 장애인을 대상으로 전문체육이나 생활체육을 지도하는 사람을 말한다.

■ ①은 스포츠강사의 역할이다.

05 **스포츠기본법(시행 2022.2.11.)의 용어 정의에 관한 설명으로 옳지 않은 것은?**

① '학교스포츠'란 건강과 체력 증진을 위하여 행하는 자발적이고 일상적인 스포츠 활동을 말한다.

② '스포츠산업'이란 스포츠와 관련된 재화와 서비스를 통하여 부가가치를 창출하는 산업을 말한다.

③ '장애인스포츠'란 장애인이 참여하는 스포츠 활동(생활스포츠와 전문스포츠를 포함한다)을 말한다.

④ '전문스포츠'란 「국민체육진흥법」 제2조제4호에 따른 선수가 행하는 스포츠 활동을 말한다.

■ 스포츠기본법 제3조(정의)

1. "스포츠"란 건강한 신체를 기르고 건전한 정신을 함양하며 질 높은 삶을 위하여 자발적으로 행하는 신체활동을 기반으로 하는 사회문화적 행태를 말하며, 「국민체육진흥법」 제2조제1호에 따른 체육을 포함한다.
2. "전문스포츠"란 「국민체육진흥법」 제2조제4호에 따른 선수(이하 "선수"라 한다)가 행하는 스포츠 활동을 말한다.
3. "생활스포츠"란 건강과 체력 증진을 위하여 행하는 자발적이고 일상적인 스포츠 활동을 말한다.
4. "장애인스포츠"란 장애인이 참여하는 스포츠 활동(생활스포츠와 전문스포츠를 포함한다)을 말한다.
5. "학교스포츠"란 학교(「유아교육법」 제2조제2호에 따른 유치원, 「초 · 중등교육법」 제2조 및 「고등교육법」 제2조에 따른 학교를 말한다. 이하 같다)에서 이루어지는 스포츠 활동(학교과정 외의 스포츠 활동과 「국민체육진흥법」 제2조제8호에 따른 운동경기부의 스포츠 활동을 포함한다)을 말한다.
6. "스포츠산업"이란 스포츠와 관련된 재화와 서비스를 통하여 부가가치를 창출하는 산업을 말한다.
7. "스포츠클럽"이란 회원의 정기적인 체육활동을 위하여 「스포츠클럽법」 제6조에 따라 등록을 하고 지역사회의 체육활동 진흥을 위하여 운영되는 법인 또는 단체를 말한다.

정답 04 : ①, 05 : ①

06 **학교체육진흥법**(2020. 10. 20, 일부 개정) **제12조에서 규정하고 있는 내용으로 옳지 않은 것은?**

① 교육감은 학교운동부지도자의 자질 향상 및 전문성 강화를 위하여 연수교육 계획을 수립하고, 이를 실시하여야 한다.
② 학교의 장은 학교운동부지도자가 학생선수의 학습권을 박탈하거나 폭력, 금품 · 향응 수수 등의 부적절한 행위를 하였을 경우 학교운영위원회의 심의를 거쳐 계약을 해지할 수 있다.
③ 국가 및 지방자치단체는 학교운동부지도자의 급여에 필요한 경비를 지원하도록 노력해야 한다.
④ 학교운동부지도자의 자격기준, 임용, 급여, 신분, 직무 등에 필요한 사항은 대통령령으로 정한다.

■ ① 연수 교육 계획 수립과 실시는 '국가'의 역할이다.

■ **학교체육진흥법 제12조**
① 학교의 장은 학생선수의 훈련과 지도를 위하여 학교운동부에 운동부지도자를 둘 수 있다.
② 국가는 학교운동부지도자의 자질 향상 및 전문성 강화를 위하여 연수교육 계획을 수립하고, 이를 실시하여야 한다. 이 경우 연수교육을 관련 단체에 위탁할 수 있다.
③ 국가 및 지방자치단체는 학교운동지도자의 급여에 필요한 경비를 지원하도록 노력하여야 하며, 학교의 장은 학교운동지도자 임용에 필요한 경비를 초 · 중등교육법 제30조의2에 따라 설치된 학교회계에 반영하여 집행하여야 한다.
④ 학교의 장은 학교운동지도자가 학생선수의 학습권을 박탈하거나 폭력, 금품 · 향응 수수 등의 부적절한 행위를 하였을 경우 학교운영위원회의 심의를 거쳐 계약을 해지할 수 있다.
⑤ 교육감은 학교운동지도자의 지도 등을 위하여 학교운동지도자관리위원회를 설치한다.
⑥ 교육감은 위의 사유 이외에 학교의 장이 부당하게 학교운동지도자를 계약 해지하였을 경우 학교운동지도자관리위원회의 심의를 거쳐 관련 계약 해지를 철회할 수 있다.
⑦ 그 밖에 학교운동지도자의 자격기준, 임용, 금여, 신분, 직무 등에 필요한 사항은 대통령령으로 정한다.

07 **학교체육진흥법**(시행 2017. 10, 19) **제11조 및 제12조에서 규정하고 있는 학교운동부 운영 및 학교운동부 지도자에 대한 내용으로 적절하지 않은 것은?**

① 학교의 장은 학습권 보장을 위한 상시 합숙 훈련 금지 원칙으로 원거리에서 통학하는 학생선수를 위하여 기숙사를 운영할 수 없다.
② 학교의 장은 학교운동부지도자가 학생선수의 학습권을 박탈하거나 폭력, 금품 · 향응 수수 등의 부적절한 행위를 하였을 경우 학교운영위원회의 심의를 거쳐 계약을 해지할 수 있다.
③ 최저학력의 기준 및 실시 시기에 필요한 사항과 기초학력 보장 프로그램의 운영 등에 필요한 사항은 교육부령으로 정한다.
④ 그밖에 학교운동부지도자의 자격 기준, 임용, 급여, 신분, 직무 등에 필요한 사항은 대통령령으로 정한다.

■ **학교체육진흥법 제11조 제4항** 학교의 장은 원거리에서 통학하는 학생선수를 위하여 기숙사를 운영할 수 있다. 이 경우 필요한 사항은 교육부령으로 정한다.

정답 06 : ①, 07 : ①

08 학교체육진흥법에 따른 학교체육 진흥의 조치에서 학생의 체력증진과 체육활동 활성화 방안에 포함되지 않는 것은?

① 장애학생의 체육활동 활성화　　② 여학생의 체육활동 활성화
③ 우수선수의 발굴 및 지원　　④ 체육수업의 질 제고

■ 우수선수의 발굴 및 지원은 전문체육 진흥 정책의 하나이다.

필수문제

09 학교체육진흥법(시행 2021.6.24.) 제10조에서 규정하고 있는 학교장의 역할에 관한 내용으로 옳지 않은 것은?

① 학생들이 신체활동 프로그램에 참여할 수 있도록 학교스포츠클럽을 운영하여 학생들의 체육활동 참여기회를 확대하여야 한다.
② 학교스포츠클럽을 운영하는 경우 전문코치를 지정하여야 한다.
③ 학교스포츠클럽 활동 내용을 학교생활기록부에 기록하여 상급학교 진학자료로 활용할 수 있도록 하여야 한다.
④ 교육부령으로 정하는 바에 따라 일정 비율 이상의 학교스포츠클럽을 해당 학교의 여학생들이 선호하는 종목으로 운영하여야 한다.

■ 학교스포츠클럽의 운영은 전담교사를 지정해야 한다.

■ 학교체육진흥법 제10조(학교스포츠클럽 운영)
① 학교의 장은 학생들이 신체활동 프로그램에 참여할 수 있도록 학교스포츠클럽을 운영하여 학생들의 체육활동 참여기회를 확대하여야 한다.
② 학교의 장은 제1항에 따라 학교스포츠클럽을 운영하는 경우 학교스포츠클럽 전담교사를 지정하여야 한다.
③ 제2항에 따른 학교스포츠클럽 전담교사에게는 학교 예산의 범위에서 소정의 지도수당을 지급한다.
④ 학교의 장은 학교스포츠클럽 활동내용을 학교생활기록부에 기록하여 상급학교 진학자료로 활용할 수 있도록 하여야 한다.
⑤ 학교의 장은 교육부령으로 정하는 바에 따라 일정 비율 이상의 학교스포츠클럽을 해당 학교의 여학생들이 선호하는 종목의 학교스포츠클럽으로 운영하여야 한다.

심화문제

10 학교체육진흥법의 주요 내용 중 옳지 않은 것은?

① 학교의 장은 학교운동부 운영의 투명성을 위해 기숙사를 운영할 수 없다.
② 학교의 장은 학생선수의 최저학력이 보장될 수 있도록 노력해야 하며, 경기대회 출전을 제한할 수 있다.
③ 기초학력보장 프로그램의 운영 등에 필요한 사항은 교육부령으로 정한다.
④ 국가 및 지방자치단체는 예산의 범위에서 학교운동부 운영과 관련된 경비를 지원할 수 있다.

■ ① 학교의 장은 원거리에서 통학하는 학생선수를 위하여 기숙사를 운영할 수 있다.

11 학교체육진흥법은 각급 학교에서 체육활동 활성화를 위한 내용을 포함하고 있다. 다음 중 정과체육과 관련이 깊은 것은?

① 체육교육과정 운영 충실 및 체육수업의 질 제고
② 학생선수의 학습권 보장 및 인권보호
③ 학교스포츠클럽 및 학교운동부 운영
④ 학교체육행사의 정기적 개최

■ 정규체육 수업시간에 하는 활동이 정과체육활동이다.

정답 08 : ③, 09 : ②, 10 : ①, 11 : ①

■스포츠강사 재임용 평가 사항
· 강사로서의 자질
· 복무 태도
· 학생의 만족도

12 **학교체육진흥법과 동 시행령(2017. 10. 17)에서 규정하고 있는 '스포츠강사'의 재임용 평가사항이 아닌 것은?**

① 전국대회 입상 실적
② 복무 태도
③ 학생의 만족도
④ 강사로서의 자질

13 **보기의 학교체육진흥법의 내용 중 옳은 것을 모두 고른 것은?**

> 보기
> ㉠ 학생선수의 최저학력이 보장될 수 있도록 노력해야 한다.
> ㉡ 저체력 및 비만 판정을 받은 학생을 위한 건강체력교실을 운영해야 한다.
> ㉢ 학생들의 체육 활동 참여 기회 확대를 위해 학교스포츠클럽을 운영해야 한다.
> ㉣ 초등학교에서는 스포츠강사를 의무적으로 배치해야 한다.

■㉣ 스포츠강사를 배치할 수 있는 것이지 의무적으로 배치해야 하는 것은 아니다.

① ㉠
② ㉠, ㉡
③ ㉠, ㉡, ㉢
④ ㉠, ㉡, ㉢, ㉣

14 **중학교에서 실시되는 '학교스포츠클럽 활동'은 창의적 체험활동의 어떤 영역에 포함되는가?**

① 정규교육과정 활동
② 동아리활동
③ 봉사활동
④ 진로활동

■체육지도자의 자격 취소 사유
· 거짓이나 기타 부정한 방법으로 체육지도와 자격증을 취득한 경우
· 자격정지 기간 중에 업무를 수행한 경우
· 자격증을 타인에게 빌려준 경우
· 피성년후견인 또는 피한정후견인
· 금고 이상의 형을 선고받고 그 집행이 종료되거나 면제된 날부터 2년이 경과하지 않은 경우
· 성폭력범죄·아동청소년대상 성범죄자 중 법에서 정한 기간이 종료되지 않은 경우

필수문제

15 **보기의 국민체육진흥법(시행 2020. 1. 16) 제12조에 명시된 내용 중 체육지도자의 자격 취소 사유를 모두 고른 것은?**

> 보기
> ㉠ 선수의 신체에 폭행을 가하거나 상해를 입히는 행위를 한 경우
> ㉡ 자격정지 기간에 업무를 수행한 경우
> ㉢ 거짓이나 그밖의 부정한 방법으로 체육지도자 자격을 취득한 경우
> ㉣ 체육지도자 자격증을 타인에게 대여한 경우

① ㉠, ㉡
② ㉠, ㉢
③ ㉠, ㉡, ㉣
④ ㉠, ㉡, ㉢, ㉣

정답 12 : ①, 13 : ③, 14 : ②, 15 : ④, 16 : ①

필수문제

16 **다음 ㉠~㉤에서 체육시설법 시행규칙(시행 2021.7.1.) 제22조 '체육지도자 배치기준'에 부합되는 것을 모두 고른 것은?**

체육시설업의 종류	규모	배치인원
㉠ 스키장업	· 슬로프 10면 이하 · 슬로프 10면 초과	1명 이상 2명 이상
㉡ 승마장업	· 말 20마리 이하 · 말 20마리 초과	1명 이상 2명 이상
㉢ 수영장업	· 수영조 바닥면적이 400㎡ 이하인 실내 수영장 · 수영조 바닥면적이 400㎡를 초과하는 실내 수영장	1명 이상 2명 이상
㉣ 골프연습장업	· 20타석 이상 50타석 이하 · 50타석 초과	1명 이상 2명 이상
㉤ 체력단련장업	· 운동전용면적 200㎡ 이하 · 운동전용면적 200㎡ 초과	1명 이상 2명 이상

① ㉠, ㉡, ㉢, ㉣ ② ㉠, ㉡, ㉣, ㉤ ③ ㉠, ㉢, ㉣, ㉤ ④ ㉡, ㉢, ㉣, ㉤

▪ 체육시설의설치 · 이용에관한법률 시행규칙

[별표 5] 체육지도자 배치 기준(제22조 제1항 관련)

체육시설업의 종류	규모	배치인원
골프장업	· 골프코스 18홀 이상 36홀 이하 · 골프코스 36홀 초과	1명 이상 2명 이상
스키장업	· 슬로프 10면 이하 · 슬로프 10면 초과	1명 이상 2명 이상
요트장업	· 요트 20척 이하 · 요트 20척 초과	1명 이상 2명 이상
조정장업	· 조정 20척 이하 · 조정 20척 초과	1명 이상 2명 이상
카누장업	· 카누 20척 이하 · 카누 20척 초과	1명 이상 2명 이상
빙상장업	· 빙판면적 1,500㎡ 이상 3,000㎡ 이하 · 빙판면적 3,000㎡ 초과	1명 이상 2명 이상
승마장업	· 말 20마리 이하 · 말 20마리 초과	1명 이상 2명 이상
수영장업	· 수영조 바닥면적이 400㎡ 이하인 실내 수영장 · 수영조 바닥면적이 400㎡를 초과하는 실내 수영장	1명 이상 2명 이상
체육도장업	· 운동전용면적 300㎡ 이하 · 운동전용면적 300㎡ 초과	1명 이상 2명 이상
골프연습장업	· 20타석 이상 50타석 이하 · 50타석 초과	1명 이상 2명 이상
체력단련장업	· 운동전용면적 300㎡ 이하 · 운동전용면적 300㎡ 초과	1명 이상 2명 이상
체력교습업	· 동시 최대 교습인원 30명 이하 · 동시 최대 교습인원 30명 초과	1명 이상 2명 이상

▪ 비고

1. 체육시설업자가 해당 종목의 체육지도자 자격을 가지고 직접 지도하는 경우에는 그 체육시설업자에 해당하는 인원의 체육지도자를 배치하지 않을 수 있다.
2. 종합 체육시설업의 경우에는 구성하고 있는 각각의 체육시설업의 해당 기준에 따라 체육지도자를 배치해야 한다.
3. 체육교습업의 경우 주된 운동 종목의 체육지도자 자격으로 다른 체육교습업의 운동 종목을 부가적으로 교습할 수 있다.

■ **스포츠강좌이용권**(스포츠바우처) : 취약계층 유·청소년에게 건전한 여가활동 참여 기회를 제공하기 위한 사업
■ **행복나눔스포츠교실** : 체육활동에서 소외계층 청소년을 대상으로 강습회·교류전 등의 체육프로그램운영 사업, 종목별 생활체육교실, 은퇴선수단체 지원 사업 등

필수문제

17 보기의 ㉠, ㉡에 해당하는 취약계층 생활스포츠 지원사업이 바르게 연결된 것은?

보기
㉠ 스포츠복지 사회 구현의 일환으로 저소득층 유·청소년(만 5세~18세)과 장애인(만 12세~23세)에게 스포츠강좌 혜택을 받을 수 있는 일정금액의 이용권을 제공하는 사업이다.
㉡ 소외계층 청소년을 대상으로 다양한 체육활동 참여기회를 제공함으로써 참여 형평성을 높이고 사회 적응력을 배양하는 것을 목적으로 시행되는 사업이다.

	㉠	㉡
①	여성체육활동 지원	국민체력100
②	국민체력100	스포츠강좌이용권 지원
③	스포츠강좌이용권 지원	행복나눔스포츠교실 운영
④	행복나눔스포츠교실 운영	여성체육활동 지원

심화문제

18 보기의 사업을 포함하는 생활체육활성화 정책은?

■ 소외계층 체육진흥정책(p. 16) 참조

보기
» 행복나눔 스포츠교실
» 스포츠강좌이용권 사업
» 스포츠 버스(bus)를 활용한 움직이는 체육관 및 작은 운동회

① 소외계층 체육진흥정책 ② 동호인 체육진흥정책
③ 직장체육 진흥정책 ④ 유아체육 진흥정책

■ 스포츠 7330 : 생활체육은 7일에 3회, 한 회에 30분 이상 운동하기
■ 스포츠비전 2018 : 평창 동계올림픽 성공개최를 위한 5대 전략
■ 신체활동 7560+ : 학생은 7일에 5회, 한 회에 60분 이상 운동하기

19 보기의 내용을 포함하고 있는 정책은?

보기
» '언제나' 향유할 수 있는 참여 기회 제공
» '어디서나' 이용 가능한 시설 제공
» 세대와 문화를 넘어 '함께' 참여하는 생활체육

① 스포츠 7330 ② 스포츠비전 2018
③ 스마일 100 ④ 신체활동 7560+

정답 17 : ③, 18 : ①, 19 : ③

필수문제

20 다음 중 엘리트선수 훈련을 위한 스포츠과학 지원방안으로 적절하지 않은 것은?

① 엘리트선수를 위한 과학적 훈련방법 연구 및 현장을 방문하여 기술훈련, 체력훈련을 지원한다.

② 스포츠과학 교실 운영, 스포츠과학 세미나 개최, 연구발표회 등 훈련 과학화를 위한 정보를 제공한다.

③ 정보 분석 및 제공을 위해 선수의 실전 적응력을 탐색하며, 종합적이고 입체적인 기술분석 방법을 활용하도록 한다.

④ 약물복용 검사보다는 종목별 체력강화 훈련과 체력측정을 실시하는 등 다각적인 방법을 통해 과학적 훈련에 집중하도록 한다.

■ '종목별 체력강화 훈련'은 담당코치가 해야 할 일이지 스포츠과학 지원 내용이 아니다.

필수문제

21 보기에 ㉠, ㉡의 용어가 바르게 묶인 것은?

보기
2015 초 · 중등학교 교육과정 총론에 의하면, 중학교 '학교스포츠클럽 활동'은 정규교육과정의 (㉠)에 편제되어 있지 않으며, (㉡)의 동아리활동에 매학기 편성하도록 하고 있다.

	㉠	㉡
①	교과활동	재량 활동
②	비교과활동	창의적 체험활동
③	비교과활동	재량 활동
④	교과활동	창의적 체험활동

■ **2015 초 · 중등학교 교육과정 총론**
학교는 학생들의 심신을 건강하게 발달시키고 정서를 함양하기 위해 '학교스포츠클럽 활동'을 편성 · 운영한다.
(가) 학교스포츠클럽 활동은 정규교육과정의 **교과활동**에 편제되지 않으며, **창의적 체험활동**의 동아리활동으로 편성한다.
(나) 학교스포츠클럽 활동은 학년별 연간 34~68시간(총 136시간) 운영하며, 매 학기 편성하도록 한다. 학교 여건에 따라 연간 68시간 운영하는 학년에서는 34시간 범위 내에서 학교스포츠클럽 활동을 체육으로 대체할 수 있다.

정답 20 : ④, 21 : ④

03 Chapter 스포츠교육의 참여자 이해론

스포츠지도자

1 학교체육지도자

▶ 체육교사

체육교사는 초등학교, 중학교, 고등학교 등에서 체육수업을 담당하고, 체육과 관련된 여러 가지 활동을 지도 · 감독하는 사람을 말하고, 반드시 교사 자격증을 소지하고 있어야 한다.

⑧ 초등학교 체육전담교사

초등학교 정교사 자격증이 있는 사람 중에서 초등학교 교사 임용시험에 합격하면, 시 · 도교육청장이 관내 초등학교로 발령을 한다. 발령을 받은 사람 중에서 해당 학교장으로부터 '초등체육전담교사'의 역할을 명령받은 사람이 '초등학교 체육전담교사'의 역할을 하게 된다.

초등학교 담임교사 중 체육수업을 담당하기 어려운 교사 대신에 체육수업을 해줌으로써 초등학교 체육수업의 질을 향상시킨다는 취지에서 도입된 제도이다. 대개 주당 20시간 내외의 체육수업을 담당하고, 본인의 희망과 해당학교의 사정에 따라 체육전담교사를 계속할 수도 있고 담임교사 등 다른 역할로 전환할 수도 있다.

⑧ 중 · 고등학교 체육교사

중등학교 체육정교사 자격증이 있는 사람 중에서 중등교사 임용시험에 합격하면, 시 · 도교육청장이 관내 중학교 또는 고등학교로 발령을 한다. 교장이나 교감으로 승진하는 경우를 제외하고 주당 18시간 내외의 체육수업을 중학교 또는 고등학교에서 담당한다.

▶ 스포츠강사

전문대학 또는 대학의 체육관련 학과를 졸업한 사람 중에서 '초등학교 2급 정교사 ', '중등학교 체육 2급 정교사 자격증', '실기교사 자격증', '생활체육 3급 이상의 지도자 자격증'을 가지고 있는 사람이어야 스포츠강사로 임용될 수 있다.

초등학교는 교육지원청에서 선발공고를 거쳐서 선발하고, 중 · 고등학교는 개별 학교에서 선발공고를 거쳐서 선발한다. 초등학교와 중 · 고등학교에서 원하는 특정 종목의 스포츠활동을 효과적으로 지원하려는 취지에서 도입된 제도이고, 스포츠강사는 다음 표와 같은 역할을 담당할 수 있다.

스포츠강사의 역할
» 체육수업의 보조(담임교사 또는 체육교사의 체육수업을 돕는다.) » 안전관리, 시설관리, 교구관리 » 학생건강체력평가 업무의 보조 » 체육대회 등 체육관련 행사의 지원업무 » 학교스포츠클럽의 지도 » 방학 중 체육 프로그램의 운영 » 기타(담당교사와 협의된 사항)

2 생활스포츠지도자

직장, 체육시설, 스포츠동호회, 사회단체, 지역사회 등에서 생활체육인(자발적으로 체육 활동에 참여하는 일반인)을 지도하는 사람을 생활스포츠지도자라고 한다.

☞ 생활스포츠지도자는 생활스포츠지도사, 유소년스포츠지도사, 장애인스포츠지도사, 노인스포츠지도사, 건강관리사 중에서 하나 이상의 자격증을 가지고 있는 사람이어야 한다.

☞ 생활스포츠지도자는 생활스포츠 프로그램을 제공하고, 참여자의 욕구를 최대한 만족시키며, 창의적인 지도력을 갖추고 있어야 할 뿐 아니라, 해당 종목에 대한 실기능력과 함께 건강과 스포츠에 대한 전문적인 지식도 갖추고 있어야 한다.

☞ 생활스포츠지도자가 담당해야 할 업무에는 생활스포츠 활동의 목표 설정, 효율적인 지도방법의 개발, 생활스포츠 프로그램의 개발, 생활스포츠에 대한 연구, 생활스포츠 기구의 운용 또는 개발, 생활스포츠 관련 재정의 관리 등이 있다.

▶ 생활스포츠지도사 관련 내용

구 분		내 용
정의		» **스포츠지도사**란 전문체육이나 생활체육을 지도하는 사람을 말한다. » **건강운동관리사**란 개인의 체력적 특성에 적합한 운동형태, 강도, 빈도 및 시간 등 운동수행방법에 대하여 지도/관리하는 사람을 말한다. » **장애인스포츠지도사**란 장애 유형에 따른 운동방법 등에 대한 지식을 갖추고, 장애인을 대상으로 전문체육이나 생활체육을 지도하는 사람을 말한다. » **유소년스포츠지도사**란 유소년(만 3세부터 중학교 취학 전까지)의 행동 양식, 신체발달 등에 대한 지식을 갖추고, 유소년을 대상으로 체육을 지도하는 사람을 말한다. » **노인스포츠지도사**란 노인의 신체적, 정신적 변화 등에 대한 지식을 갖추고, 노인을 대상으로 생활체육을 지도하는 사람을 말한다.
분류		» 생활스포츠지도사는 1급과 2급으로 구분한다. » 2급 생활스포츠지도사는 자격검정에 합격하고 연수과정을 이수한 사람으로 한다. » 1급 생활스포츠지도사는 2급 생활스포츠지도사 자격을 취득한 후 3년 이상 해당 종목의 지도경력이 있는 사람으로서 동일종목의 자격검정에 합격하고 연수과정을 이수한 사람으로 한다.
자격종목	생활 (57종목)	검도, 게이트볼, 골프, 복싱, 농구, 당구, 라켓볼, 럭비, 레슬링, 레크리에이션, 리듬체조, 배구, 배드민턴, 보디빌딩, 볼링, 빙상, 자전거, 등산, 세팍타크로, 수상스키, 수영, 스킨스쿠버, 스쿼시, 스키, 승마, 씨름, 야구, 에어로빅, 오리엔티어링, 요트, 우슈, 윈드서핑, 유도, 인라인스케이트, 정구, 조정, 축구, 카누, 탁구, 태권도, 테니스, 행글라이딩, 궁도, 댄스스포츠, 사격, 아이스하키, 육상, 족구, 철인 3종 경기, 패러글라이딩, 하키, 핸드볼, 풋살, 파크골프, 그밖에 문화체육관광부장관이 인정하여 고시하는 종목(양궁, 펜싱, 합기도)
	유소년 (60종목)	생활스포츠지도사의 자격종목 및 줄넘기, 플라잉디스크, 피구, 그 밖에 문화체육관광부장관이 인정하여 고시하는 종목(양궁, 펜싱, 합기도)
	노인 (58종목)	생활스포츠지도사의 자격종목 및 그라운드 골프, 그 밖에 문화체육관광부장관이 인정하여 고시하는 종목(양궁, 펜싱, 합기도)
	장애인 (34종목)	공수도, 골볼, 농구, 레슬링, 론볼, 배구, 배드민턴, 보치아, 볼링, 사격, 사이클, 수영, 승마, 양궁, 역도, 오리엔티어링, 요트, 유도, 육상, 조정, 축구, 카누, 탁구, 테니스, 트라이애슬론, 핸드볼, 댄스스포츠, 럭비, 펜싱, 스노보드, 아이스하키, 알파인스키, 바이애슬론, 크로스컨트리, 컬링, 그 밖에 문화체육관광부장관이 인정하여 고시하는 종목

응시자격	체육지도자의 자격은 18세 이상인 사람에게 부여한다.
자격검정이나 연수과정의 일부 면제	다음 중 어느 하나에 해당되는 사람에게는 자격검정이나 연수과정의 일부를 면제할 수 있다. » 학교체육교사 » 국가대표선수(국가대표선수였던 사람을 포함한다) » 문화체육관광부장관이 지정하는 프로스포츠단체에 등록된 프로스포츠선수 » 체육지도자의 자격을 보유한 사람으로서 보유한 자격 종목이 아닌 다른 자격 종목으로 같은 종류와 등급에 해당하는 체육지도사 자격을 취득하려는 사람 » 체육지도자의 자격을 보유한 사람으로서 보유한 자격 종목과 같은 자격 종목으로 다른 종류의 체육지도자 자격을 취득하려는 사람

3 전문스포츠지도자

학교 운동부, 실업팀, 프로스포츠 팀 등에서 선수들을 지도하는 코치나 감독을 전문스포츠지도자라고 한다.

▶ 전문스포츠지도사 관련 내용

구 분		내 용
정의		전문스포츠지도사란 전문체육을 지도하는 사람을 말한다.
분류		» 전문스포츠지도사는 1급과 2급으로 구분한다. » 2급 전문스포츠지도시는 해딩 종목에 대하여 4년 이상의 경기 경력이 있는 사람으로, 자격검정에 합격하고 연수과정을 이수한 사람으로 한다. » 1급 전문스포츠지도사는 2급 전문스포츠지도사의 자격을 취득한 후 3년 이상 해당 종목의 경기지도 경력이 있는 사람으로, 1급 전문스포츠지도사 자격검정에 합격하고 연수과정을 이수한 사람으로 한다.
자격종목		검도, 골프, 궁도, 근대5종, 당구, 럭비, 레슬링, 루지, 봅슬레이, 스켈레톤, 바이애슬론, 배구, 배드민턴, 보디빌딩, 복싱, 볼링, 빙상, 사격, 사이클, 산악, 세팍타크로, 소프트볼, 수상스키, 수영, 수중스쿼시, 스키, 승마, 씨름, 야구, 에어로빅, 오리엔티어링, 요트, 우슈, 윈드서핑, 유도, 인라인스케이트, 정구, 조정, 체조, 축구, 카누, 컬링, 탁구, 태권도, 테니스, 트라이애슬론, 펜싱, 하키, 핸드볼, 공수도, 댄스스포츠, 택견, 그밖에 문화체육관광부장관이 인정하여 고시하는 종목.
자격검정이나 연수과정의 일부 면제		다음 중 어느 하나에 해당되는 사람에게는 자격검정이나 연수 과정의 일부를 면제할 수 있다. » 학교체육교사 » 국가대표선수 » 문화체육관광부장관이 지정하는 프로스포츠단체에 등록된 프로 스포츠선수
주요 업무	2급	선수대상 특정 스포츠지도, 경기력 향상을 위한 훈련 프로그램 개발 및 운영, 스포츠 경기대회 운영, 운동부 관리 및 운영, 체육 영재 육성 및 관리
	1급	선수(특히 국가대표 수준) 대상 특정 스포츠지도, 스포츠 경기대회 계획 및 조직, 특정 스포츠 종목의 과학적 훈련 프로그램 개발, 국가대표 훈련 계획 및 조직, 전문스포츠지도사 교육 프로그램 개발 및 운영, 전문스포츠지도사 교육 및 관리

☞ 전문스포츠지도자는 전문스포츠지도사 자격증이 있어야 하고, 선수와 팀의 기량을 최대한으로 끌어올리기 위해서 해당 종목의 전문적인 실기능력, 스포츠과학의 전문적인 지식, 전문적인 스포츠지도력 등을 반드시 갖추고 있어야 한다.

☞ 전문스포츠지도자가 담당하는 업무에는 팀의 감독이나 코치 이외에 경기단체의 임원, 체육시설의 경영자, 체육학 연구자 등의 업무를 담당하는 경우도 많다.

스포츠학습자

스포츠교육을 경쟁적이고 제도화된 신체활동 즉, 스포츠를 가르친다는 좁은 의미로 생각하지 않고, 일상생활에서 행하는 건강 활동, 무용, 캠핑 등 다양한 신체활동을 모두 포함하고 그 지식과 문화까지도 포괄적으로 가르친다고 넓은 의미로 생각하면 스포츠교육을 배우는 학습자는 모든 연령대의 모든 사람들로 확대된다.

▶ 학습자의 상태

스포츠를 지도하는 사람의 입장에서는 지도효율을 높이고, 스포츠를 학습하는 사람의 입장에서는 학습효율을 올리기 위해서는 지도자가 학습자의 상태를 확실하게 파악하고 그에 알맞는 학습프로그램을 제공하는 것이 가장 중요하다.

학습자의 기능 수준	과거의 학습경험에 의해서 학습자가 이미 습득한 기능 수준을 정확하게 알아야 한다.
학습자의 체격 및 체력	학습자의 체격과 체력 등 학습자의 신체조건에 알맞은 운동을 선택해서 실행하는 것이 좋다.
학습자의 학습 동기	학습동기가 학습활동과 학습결과에 큰 영향을 미친다. 그러므로 학습자는 스스로 운동을 열심히 하려고 노력해야 하고, 지도자는 학습자의 동기를 유발하려고 노력해야 한다.
학습자의 발달 수준	성별과 연령에 따른 발달 수준과 각 개인의 환경에 따른 차이 등 개인차를 고려해서 운동을 하도록 해야 한다.

생애주기별 발달특성

시간의 흐름 에 따라 변화해 나가는 개인 생애의 일정한 단계별 과정을 '생애주기'라 하고, 보통 영아기, 유아기, 아동기, 청소년기, 성년기, 중년기, 노년기로 구분한다.

개인이 생애주기를 거치는 동안 각 단계마다 수행해야 할 역할이나 해결해야 할 중요한 과업을 '발달과업'이라 하고, 정도의 차이는 있지만 생애주기 각 단계의 진행 순서와 중요 발달 과업은 일반적으로 비슷하게 나타난다. 각 시기의 발달 과업은 서로 연관성을 가지고 있어서 앞 단계에서 발달과업을 제때에 성공적으로 성취하지 못하면 다음 단계의 생활에서 많은 어려움을 겪게 된다.

1 영아기

생후 24개월까지로, 자기 몸을 스스로 움직이고 이동할 수 있게 되는 시기이다. 일생을 통해 신체와 운동 발달에서 가장 급속한 발달을 보이며, 의사소통 수단이 되는 언어를 습득하기 시작하여 기본적인 상호작용을 할 수 있게 된다.

발달특징	대뇌 발달, 감각 기관 발달, 근육 발달, 인지 발달, 언어 발달
발달과업	젖떼기, 걷기, 말하기, 돌보아주는 사람에 대한 신뢰와 애착 형성하기

2 유아기

만 3~5세까지로, 대근육 운동능력이 발달되어 움직임이 많아진다. 유아기는 언어를 습득하고 발전시키는 시기로, 인지 지능이 급속하게 발달한다. 자기주장이 강해지고, 주변 환경에 대한 탐색을 하며 기본생활 습관과 사회 규칙을 습득하기 시작한다.

발달특징	근육 발달, 인지적 성장, 언어 발달, 사회성 발달, 신체구조와 기능이 가장 빨리 발달함.
발달과업	식사, 수면, 배변 등의 기본 생활습관 형성하기, 공동생활에 필요한 생활습관 형성하기, 언어로 의사소통하기
체육활동	놀이 중심, 놀이기구를 이용한 걷기 · 뛰기 · 잡기 · 던지기 등의 기초운동

3 아동기

만 6~11세까지로, 초등학교에 다니는 시기이다. 양육자 외의 다른 사람들과 어울리면서 사회성이 발달하기 시작하고, 운동기술이 발달하며, 논리적 사고가 가능해진다.

발달특징	신체 발달, 운동기능 발달, 지적흥미의 다양화, 또래집단 형성
발달과업	또래 친구들과 어울리기, 적절한 성 역할 학습하기, 기본적 기능 익히기, 도덕성의 기초 형성하기, 학습습관 형성하기
체육활동	달리기, 뛰기, 체조, 간단한 경기, 물놀이, 춤, 리듬활동 등

4 청소년기

만 12~19세까지로 급속한 신체적 변화에 따라 정서, 자아, 대인관계, 이성에 대한 태도와 행동에 변화를 갖는 발달단계이다. 성장 급등과 2차 성징이 나타나고 추상적 · 가설적 사고를 통해 효율적으로 지적과업을 성취한다. 또한 또래들과 어울리면서 부모로부터 독립하려는 마음이 생겨난다.

발달특징	급격한 신체적 성장, 성적 성숙, 인지발달, 가치관 형성
발달과업	자아 정체감 형성하기, 신체적 · 지적 · 사회적 · 도덕적 발달 이루기, 진로 탐색하기, 성인이 되기 위해 준비하기
체육활동	다양한 신체활동, 학교체육을 기초로 수영 · 등산 · 야영 등의 야외활동 병행

5 성인기

만 20~39세까지로, 신체적 · 심리적으로 성숙되며 일생 중 가장 활력이 넘치고 활동적인 시기이다. 직업인, 배우자, 부모로서의 새롭고 중요한 역할을 담당하게 된다.

발달특징	결혼, 가정생활, 직업 생활, 책임 있는 사회 구성원
발달과업	성인의 관점으로 사회적 가치 수용하기, 직업 선택하기, 이상적 배우자상 확립하기, 배우자 선택과 결혼, 책임 있는 시민으로서의 역할 수행하기, 개인적 신념과 가치체계 확립하기
체육활동	유산소운동과 저항운동의 적절한 배분(체조, 수영, 골프, 테니스 등)

6 중년기

만 40~59세에 이르는 시기로, 감각 능력의 감소로 지각 능력이 약화되고 기억력도 감소하며 여성의 폐경기와 남성의 갱년기 같은 중년의 위기가 나타나기도 한다.

발달특징	신체적 노화 시작, 성격의 안정, 직업 안정 또는 직업 전환
발달과업	행복한 결혼 생활 유지하기, 직업 생활 유지하기, 인생철학 확립하기, 중년기의 위기 관리하기, 건강 약화에 대비한 심신 단련하기
체육활동	성인기와 같음

7 노년기

만 60세 이후부터 사망할 때까지를 말한다. 신체 능력과 감각 · 지각능력이 쇠퇴하며 의존성이 증가한다. 이러한 변화에 융통성 있게 대처하면서 건강에 주의를 기울여야 한다.

발달특징	사회적 활동의 감소, 체력 저하, 운동 기능 감퇴, 감각 기능 퇴화
발달과업	건강 관리하기, 은퇴에 적응하기, 신체적 노화를 긍정적으로 수용하기, 배우자 사별에 대해 준비하기, 여가 선용하기, 경제적 대책 마련하기, 자신의 죽음에 대해 준비하기
체육활동	걷기, 산책, 체조, 등산, 게이트볼, 배드민턴 등 활동형 레크리에이션

스포츠행정가

스포츠와 관련된 사업의 기획 · 행정 · 사무 · 개발 · 교육 등의 업무를 담당하는 사람을 스포츠 행정가라 한다. 스포츠행정가는 스포츠행정 업무를 전반적으로 관장하고, 조직의 목적을 효율적으로 달성하기 위하여 업무를 조정하고 사람을 배치하며, 물적 자원을 적절히 사용해야 할 책임이 있다. 스포츠행정가는 학교체육 행정가, 생활체육 행정가, 전문체육 행정가로 나눌 수 있다.

학교체육 행정가	학교체육 행정가에는 교육정책과 절차를 수립하는 교장 · 교감 · 행정실장 등이 있고, 학교체육 관련업무, 운동부 관련업무, 학교스포츠클럽 관련업무 등 체육행정의 실무를 담당하는 체육교사와 스포츠강사가 있다. 학교체육 행정가는 ① 안내자의 역할 ② 조력자의 역할 ③ 행정가의 역할 등을 수행한다.
생활체육 행정가	생활체육 행정가는 생활체육과 관련된 기관을 관장하고, 각종 생활체육 대회의 유치 · 운영 · 홍보 등의 업무를 담당하며, 생활체육 정책을 수립하고 예산을 집행하는 등의 업무도 수행한다. 생활체육 행정가에는 문화체육관광부 직원, 통합체육회 직원, 각 시도 체육회 직원 등이 있다. 생활체육 행정가는 ① 운영자의 역할 ② 조직자의 역할 ③ 지원자의 역할 등을 수행한다.
전문체육 행정가	전문스포츠와 관련된 기관에서 사무 · 행정 · 개발 · 교육 등의 업무를 담당하는 사람을 전문체육 행정가라고 한다. 전문체육 행정가는 스포츠관련 프로그램의 계획, 조직, 인사, 조정, 예산의 수립과 집행, 시설관리 등의 업무와 홍보, 경기운영, 영업 등의 업무를 담당한다. 전문체육 행정가는 ① 전문가의 역할 ② 행동가의 역할 ③ 관리자의 역할 등을 한다. 전문체육 행정가에는 학교운동부 지도자, IOC 등 국제체육기구의 회장, 부회장, 사무총장, 집행위원, 분과위원 등, 문화체육관광부 직원, 통합체육회 직원 등이 있다.

▶ 각종 국제기구 위원회에서 활동하는 한국인

국제기구명	현재 인원	국제기구명	현재 인원
IOC(국제올림픽위원회)	5	OCA(아시아올림픽평의회)	10
ANOC(국제올림픽위원회총연합회)	1	EAGA(동아시아대회협의회)	4
AIPS(국제체육기자연맹)	1	ASPU(아시아체육기자연맹)	1
FISU(국제대학스포츠연맹)	8	AUSF(아시아대학스포츠연맹)	1

필수 및 심화 문제

필수문제

01 학교 이외의 기관에서 보기와 같은 역할을 수행하는 사람은?

» 스포츠활동의 목표 설정
» 효율적인 지도방법 개발
» 체육 프로그램의 개발
» 체육관련 재정관리

① 스포츠강사 ② 생활스포츠지도사
③ 전문스포츠지도사 ④ 체육강사

■ 생활스포츠지도사는 보기의 4가지 외에 지도자 간의 인간관계 유지, 체육 기구의 개발 및 운영도 한다. 전문스포츠지도사는 창조자의 역할, 실행자의 역할, 독려자의 역할, 모니터의 역할, 지시자의 역할, 배려자의 역할 등을 한다.

심화문제

02 2급 스포츠지도사 자격증을 취득한 사람이 종사할 수 있는 직종은?

① 초등학교 체육전담교사
② 중 · 고등학교 체육교사
③ 초 · 중 · 고등학교 스포츠강사
④ 초등학교 체육전담교사와 초등학교 스포츠강사

■ 교사가 되려면 반드시 교사 자격증이 있어야 한다.

03 보기에서 설명하고 있는 체육지도자가 갖추어야 할 지식은?

> 보기
> 체육 프로그램 참여자의 발달단계에 적합한 내용과 프로그램에 대한 지식이다.

① 교육과정 지식 ② 지도방법 지식
③ 내용 지식 ④ 교육목적 지식

■ 학생의 발달단계를 고려하여 학습내용을 정한 것이 교육과정이다.
■ 보기는 교육과정 지식을 설명하고 있다.

04 국민체육진흥법(시행 2021.6.9.)에서 규정하는 생활스포츠지도사의 자격으로 옳지 않은 것은?

① 체육지도자의 자격은 19세 이상인 사람에게 부여한다.
② 생활스포츠지도사는 1급, 2급으로 구분한다.
③ 2급 생활스포츠지도사는 2급 생활스포츠지도사 자격검정에 합격하고, 연수과정을 이수한 사람으로 한다.
④ 1급 생활스포츠지도사는 자격 종목의 2급 생활스포츠지도사 자격을 취득한 후 3년 이상 해당 자격 종목의 지도경력이 있는 사람으로 한다.

■ 생활스포츠지도사의 자격에서 연령제한은 없다.

정답 01 : ②, 02 : ③, 03 : ①, 04 : ①

05 체육지도자의 자격명칭이 아닌 것은?

■ 유아스포츠지도사가 아니라 유소년스포츠지도사이다.

① 생활스포츠지도사 ② 건강운동관리사
③ 유아스포츠지도사 ④ 노인스포츠지도사

06 다음 중 생활스포츠지도사의 자격 종목이 아닌 것은?

■ 줄넘기는 유소년 스포츠지도사의 자격 종목이다.

① 당구 ② 세팍타크로
③ 족구 ④ 줄넘기

07 다음 중 옳지 못한 것은?

■ 1급 전문스포츠지도사는 2급 전문스포츠지도사 자격을 취득한 후 3년 이상 해당종목의 경기지도 경력이 있어야 한다.

① 전문스포츠지도사란 전문체육을 지도하는 사람을 말한다.
② 전문스포츠지도사는 1급과 2급으로 구분한다.
③ 2급 전문스포츠지도사는 해당종목에 대하여 4년 이상의 경기경력이 있는 사람으로 자격검정에 합격하고 연수과정을 이수한 사람으로 한다.
④ 1급 전문스포츠지도사는 2급 전문스포츠지도사의 자격을 취득한 후 1년 이상 해당종목의 경기지도 경력이 있는 사람으로 1급 전문스포츠지도사 자격검정에 합격하고 연수과정을 이수한 사람으로 한다.

08 초등학교 스포츠강사의 역할에 대한 설명으로 옳지 않은 것은?

■ 스포츠강사는 초등학교 체육수업을 주도적으로 지도하지 못한다.
■ **스포츠강사의 역할**
· 정규 체육수업 보조
· 학교스포츠클럽 지도
· 정규수업 후 방과 후 활동지도
· 체육수업의 흥미와 즐거운 기회를 경험하게 함.
· 전문가 · 개발자 · 안내자 · 보조자 등의 역할

① 학교스포츠클럽 및 방과 후 체육활동 등을 지도한다.
② 담임교사의 보조를 받아 초등학교 정규 체육수업을 주도적으로 지도한다.
③ 체육수업에 대한 흥미를 유발하고 즐거운 경험의 기회를 제공한다.
④ 학교스포츠클럽 리그 및 토너먼트 경기를 기획하고 운동 프로그램을 개발한다.

09 다음 중 전문스포츠지도사(1급 또는 2급)의 역할이나 주요 업무와 거리가 먼 것은?

■ 직장인을 대상으로 하는 것은 생활스포츠지도사이다.

① 특정 종목에 대한 전문적인 지식과 기능을 구비해야 한다.
② 특정 종목에 대한 전문적인 지도능력을 갖추어야 한다.
③ 경기력 향상을 위한 프로그램의 개발 및 운영을 담당한다.
④ 직장인의 건강 및 체력을 진단한다.

정답 05 : ③, 06 : ④, 07 : ④, 08 : ②, 09 : ④

필수문제

10 **보기에서 스포츠 활동 참여자의 행동 수정 전략을 잘못 이해하고 있는 지도자들로 만 묶인 것은?**

보기
송 코치 : 저는 지도자가 일관성 있게 지도하는 것이 중요하다고 생각해요.
이 코치 : 학습자의 행동 수정에도 그 단계를 설정할 필요가 있는 것 같아요.
김 코치 : 과거의 행동 수준부터 한 번에 많은 변화가 있도록 지도해야 해요.
박 코치 : 목표행동은 간단히 진술하고 그에 따른 결과는 고려하지 않아도 되요.

① 송 코치, 이 코치　　② 이 코치, 김 코치
③ 박 코치, 송 코치　　④ 김 코치, 박 코치

■ 학습자 행동 수정 기본 전략
· 구체적인 진술 : 학습자가 수정해야 할 행동을 이해할 수 있게 한다.
· 행동 수정 결과 명시 : 행동을 수정했을 때 발생할 수 있는 결과를 명시한다.
· 단계적 변화 : 작더라도 지속적인 향상에 만족한다.
· 일관성 유지 : "이렇게 행동하면 된다."와 같이 학습자를 인식시킨다.
· 현수준에서 출발 : 시급한 문제에서 시작해 그 폭을 넓힌다.

필수문제

11 **체육지도자가 학교스포츠클럽 지도를 계획할 때 고려해야 할 요소가 아닌 것은?**

① 학생의 흥미보다는 지도자 자신의 흥미 고려
② 학생의 운동 경험에 따른 자발적 참여 유도
③ 다양한 활동 시간을 고려하여 운영
④ 스포츠와 관련된 문화 체험 기회 제공

■ 학교스포츠클럽 지도 계획 시 고려 요소
· 학생의 자발적 참여 유도
· 다양한 활동시간 고려
· 스포츠 관련 문화체험 기회 제공
· 활동시간의 다양화

■ 체육지도자는 학생들의 흥미를 고려하여야 한다.

심화문제

12 **보기의 스포츠 지도를 위한 준비 단계에 대한 설명 중 옳은 것을 모두 고른 것은?**

보기
㉠ 지도자는 자신이 가르칠 수 있는 내용의 수준이 어느 정도인지 고려한다.
㉡ 학습자의 성취 결과뿐만 아니라 향상 정도를 평가할 수 있는 방법을 계획한다.
㉢ 지도의 목표가 모방일 경우에는 지시자, 창조일 경우에는 촉진자의 역할이 필요하다.
㉣ 행동 목표는 운동수행 조건, 성취 행동, 운동수행 기준을 고려하여 설정한다.

① ㉠　　② ㉠, ㉡
③ ㉠, ㉡, ㉢　　④ ㉠, ㉡, ㉢, ㉣

■ 모두 옳다.

■ 스포츠 지도를 위한 준비 단계
· 참가자의 수준 고려
· 지도활동을 통해 동료의식 및 응집성 조성
· 개인 및 집단 목표 확인 및 제시
· 참가자의 동기 유발
· 참가자의 성취도 제고
· 집단의 긍정적 분위기 조성
· 스포츠 활동 과업의 평가

정답　10 : ④, 11 : ①, 12 : ④

■①은 경기력 차이에 따라 순위가 고착화될 가능성이 높다. ② 토너먼트는 모두 단시간에 경기가 이루어진다. ③은 우승팀 이외에는 순위 산정이 어렵다. ④는 모두 팀에게 같은 수의 경기를 보장한다.

13 지역 스포츠클럽 대회의 경기 운영 방식에 관한 설명으로 옳은 것은?

① 통합리그는 순위가 고착화될 가능성이 높다.
② 조별리그는 토너먼트 대회보다 빠르게 진행된다.
③ 녹다운 토너먼트는 우승팀 이외의 순위를 산정하기 쉽다.
④ 스플릿 토너먼트는 모든 팀에게 동일한 경기 수를 보장하지 않는다.

14 보기에서 설명하는 스포츠지도자가 고려해야 할 학습자 특성은?

보기
학습자의 성별, 연령, 환경적 요인 등 학습자의 개인차를 고려해서 학습 단계를 결정하는 것이 중요하다.

■성별 · 연령 · 환경적 요인과 같은 학습자의 개인차는 발달 수준을 고려한 것임.

① 감정 조절　　② 발달 수준
③ 공감 능력　　④ 동기유발 상태

15 스포츠지도자의 자질과 지도방법에 관한 내용으로 옳지 않은 것은?

■스포츠지도자는 선수가 수단과 방법을 가리지 않고 승리하도록 시도해서는 안 됨.

① 지도자는 높은 성품 수준을 유지하며 모범을 보여야 한다.
② 선수가 수단과 방법을 가리지 않고 승리할 수 있도록 지도한다.
③ 지도자는 재능의 차원과 인성적 차원의 자질을 고루 갖추어야 한다.
④ 선수가 올바른 도덕적 의식을 가지고 자율적으로 실천하도록 지도한다.

16 다음 중 노인을 대상으로 운동을 지도할 때 유의해야 할 점으로 가장 적절한 것은?

■①, ②, ③은 반대로 기술된 것이다.

① 개인차보다는 효율적인 운동수행을 더 중요하게 고려한다.
② 의학적 체크나 건강상태의 점검은 간헐적으로 시행한다.
③ 평소 가정에서 행하기 어려운 신체활동 위주로 지도한다.
④ 운동 중의 신체상황을 지속적으로 점검하거나, 대화를 통해 건강상태를 파악한다.

17 보기에서 김 코치가 고려하고 있는 것은?

보기
김 코치는 중학교 여학생을 대상으로 리듬체조를 지도할 때, 초보자에게는 기초기술을, 숙련자에게는 응용기술을 가르쳤다.

■기술은 기능 수준과 관련된다.

① 학습자의 기능 수준
② 학습자의 인지적 능력
③ 학습자의 감정코칭 능력
④ 학습자의 신체 발달

정답 13 : ①, 14 : ②, 15 : ②, 16 : ④, 17 : ①

18 다음 중 스포츠교육의 참여자로 볼 수 없는 사람은?

① 선수의 학부모 ② 스포츠 학습자
③ 스포츠 지도자 ④ 스포츠 행정가

■ 학습자, 지도자, 행정가가 스포츠교육 참여자이다.

필수문제

19 보기는 생애의 주기를 유아기, 아동기, 청소년기, 성인기, 노년기로 나누었을 때 어느 한 시기의 정서적 발달의 특징을 설명한 것이다. 어느 시기인가?

보기
» 감정의 기복이 심하고,
» 불안, 수치감, 죄책감, 분노, 우울 등의 감정을 자주 경험한다.
» 상황을 어느 하나의 관점에서 바라보는 경향이 있고,
» 감정을 다스리고 대안을 생각하는 데에 어려움이 있다.

① 성인기 ② 청소년기
③ 아동기 ④ 노인기

■ 생애주기별 정서적 발달 특징
· 유아기 : 자기중심적
· 아동기 : 또래의 피드백에 대단히 민감.
· 청소년기 : 남과 다르게 보이고 싶어 하면서 남과 똑같아 보이려고 하는 이중성.
· 성인기 : 자신의 가치관, 이념, 정체성이 뚜렷해짐.
· 노년기 : 무력감을 느끼는 경우가 증가.
■ 보기는 청소년기에 해당된다.

심화문제

20 보기의 발달특성을 가진 대상을 위한 스포츠 프로그램 구성 시 고려사항으로 적절하지 않은 것은?

보기
» 신체적 · 정서적사회적 발달이 뚜렷하다.
» 개인의 요구와 흥미가 뚜렷하게 나타난다.
» 2차 성징이 나타난다.

① 생활패턴 고려
② 개인의 요구와 흥미 고려
③ 정적운동 위주의 프로그램 구성
④ 스포츠 프로그램의 지속적 참여 고려

■ 보기는 청소년기의 발달특성인데, 정적운동 위주의 프로그램보다는 수영 · 등산 · 야영과 같은 야외활동을 병행할 필요가 있다.

21 다음 중 청소년기의 발달 특징을 가장 잘 나타낸 것은?

① 대뇌 발달, 감각기관의 발달, 근육의 발달
② 신체 발달, 운동기능의 발달, 지적 흥미의 발달
③ 급격한 신체적 성장, 인지 발달, 가치관 형성
④ 사회적 활동의 증가, 사회적 가치의 수용, 역할 수행

■ ①은 유아기, ②는 아동기, ④는 성인기의 발달 특성이다.
■ 청소년기의 발달 특징은 급격한 신체적 성장, 성적 성숙, 인지 발달, 가치관 형성 등이다.

정답 18 : ①, 19 : ②, 20 : ③, 21 : ③

■ **학교체육 관련 행정가**는 안내자, 조력자, 행정가로서의 역할을 하고, **생활체육 관련 행정가**는 조력자, 운영자, 조직가, 지원자로서의 역할을 하며, **전문체육 관련 행정가**는 전문가, 행동가(행정가), 관리자로서의 역할을 한다.

필수문제

22 전문체육 관련 체육행정가의 역할과 거리가 먼 것은?

① 조력자의 역할
② 전문가의 역할
③ 행동(정)가의 역할
④ 관리자의 역할

정답 22 : ①

04 Chapter 스포츠교육의 프로그램론

학교체육 프로그램

학교체육 프로그램은 교과활동과 비교과활동으로 나눈다. 정규 수업시간에 학생들을 가르치는 것이 **교과활동**이고, 쉬는 시간, 점심시간, 방과 후, 토요일 등 수업시간 이외의 시간에 학생들을 대상으로 실시하는 **체육활동이 비교과활동**이다. 비교과활동에는 학교스포츠클럽 활동, 학교 운동부활동, 방과 후 체육활동 등이 있다.

1 교과활동

교과활동은 체육교사가 주도적으로 수업을 진행하고, 스포츠지도사나 스포츠강사는 교사를 도와주는 조력자의 역할을 한다.

체육교사, 스포츠강사, 스포츠지도사가 체육수업을 진행하기 위해서 기본적으로 알고 있어야 하는 지식을 **슐만**(Shulman)이 7가지로 분류해서 제시하였다.

내용에 대한 지식	수업시간에 가르쳐야 할 교과의 내용을 교사가 잘 알고 있어야 한다.
지도방법에 대한 지식	학생들을 지도하는 방법에 대해서도 잘 알고 있어야 한다.
교육적인 내용에 대한 지식	교사가 학생들에게 어떤 운동기술이나 교과서에 있는 내용만을 가르치는 것이 아니라 그 내용을 통해서 학생들에게 가르치고 싶은 인성이나 도덕이 있다. 교사가 교육적인 내용을 알지 못하고 학생들을 지도하면 존경받는 교사가 되기 어렵다.
교육과정에 대한 지식	우리나라의 경우 교사는 교육과정에서 지향하는 목표를 잘 알고 실천에 옮겨야 한다.
교육환경에 대한 지식	각 학교마다 조금씩 교육환경에 차이가 있으므로, 교사가 자신이 속해 있는 학교의 교육환경을 잘 이해하고 현명하게 대처해나갈 수 있어야 한다.
학습자의 특성에 대한 지식	배우는 학생의 연령이나 가정환경 또는 어떤 특별한 사정이 있는지 알고, 그 학생들에게 가장 효과적인 지도방법에 대한 지식이 있어야 한다.
교육목표에 대한 지식	목표를 알지 못하고 수업을 하면 수업의 효과를 기대하기 어렵다.

메츨러(M. Metzler)는 교사의 지식을 다음 3가지로 제시하였다.

명제적 지식	교사가 구두나 문서로 표현할 수 있는 지식 : 체육에 필요한 여러 가지 내용에 대한 지식과 관련된 정보(규칙, 원리, 내용, 움직임)
절차적 지식	교사가 실제로 수업 전 · 중 · 후에 적용할 수 있는 지식 : 수업 관리에 필요한 지식으로 명제적 지식의 활용 능력
상황적 지식	특수한 상황일 때 교사가 적절한 의사결정을 언제, 왜 해야 하는 지에 관한 정보

2 수업계획 또는 학습지도안 작성 시 고려해야 할 사항

☞ 구체적이고 체계적으로 수업계획을 수립해야 한다. 수업계획을 구체적이고 체계적으로 작성하면 수업을 성공적이고 효율적으로 진행할 수 있게 된다.

☞ 창의적인 학습환경을 조성해야 한다.

☞ 체육수업은 신체활동을 통해서 신체적 · 인지적 · 정의적인 가치를 습득할 수 있도록 통합적이고 효율적인 교수학습 활동이 이루어질 수 있도록 계획해야 한다.

3 학교스포츠클럽

지난 2007년에 학생들의 건강과 학교폭력 등 여러 가지 문제가 발생하자 자율적인 체육활동을 통해서 건강하고 활기찬 학교 분위기를 조성하고, 스포츠 친화적인 학교문화와 꿈과 끼를 키우는 환경을 조성하며, 학생들의 전인적인 성장을 도모하기 위해서 만들어진 동아리 활동이 '학교스포츠클럽'이다. 학교스포츠클럽과 학교스포츠클럽 활동의 개념을 구분해야 할 필요가 있다. 다음 표는 두 개념의 차이를 표로 만든 것이다.

▶ 학교스포츠클럽과 학교스포츠클럽 활동의 구분

구분	학교스포츠클럽	학교스포츠클럽 활동
개념	방과 후에 체육활동에 취미를 가진 동일 학교 학생으로 구성 및 운영되는 스포츠 동아리	정규 학교 교육과정 중 창의적 체험활동 시간에 이루어지는 클럽 단위의 스포츠활동
활동형태	정규 교육과정이 아님	정규 교육과정임
활동시간	방과 후, 점심시간 등	창의적 체험활동시간
활동근거	학교체육진흥법 제10조	초 · 중등학교 교육과정 총론

4 학교스포츠클럽 프로그램을 구성할 때 고려해야 할 사항

활동시간의 다양화	학교스포츠클럽은 어디까지나 자율적으로 운동하는 것이므로 아침시간, 점심시간, 방과 후 시간, 토요일 등 다양한 시간을 활용할 수 있도록 프로그램을 구성해야 한다.
학생들의 자발적인 참여	학생 개인의 흥미와 적성에 따라 희망 종목을 선택할 수 있어야 한다. 그러려면 스포츠클럽의 수가 많아야 되지만, 한없이 늘일 수는 없으므로 적절히 선택해서 계획해야 한다.
학생 주도의 클럽운영	클럽의 활동시간, 클럽의 이름, 클럽회원 모집 및 홍보 등 클럽활동 전반을 학생들이 주도적으로 참여하고 결정하도록 유도하여야 한다. 그렇게 해야 학생들이 주인의식과 책임감을 가지고 클럽활동을 해나간다.
인성 함양	학교스포츠클럽을 교육과정에 삽입하게 된 이유가 학생들의 인성 함양이다. 즉 스포츠기술을 배우는 것이 주된 목적이 아니라 스포츠활동을 통해서 인성을 함양함으로써 학교폭력 등을 근절시키려는 것이다. 그러므로 스포츠 속의 규범이나 가치, 전통과 예의, 스포츠문화 등을 경험할 수 있도록 유도해야 한다.

체육수업과 학교스포츠클럽 외에도 학교에서 다양한 체육활동을 할 수 있다. 그러한 체육활동 프로그램을 계획할 때에는 다음 사항들을 고려해야 한다.

교육과정과의 연계성	학생들이 정규 수업시간에 학습한 내용을 기타 학교 체육활동에서 연습하고 활용할 수 있도록 프로그램 내용을 구성해야 한다.
미래지향적인 방향 설정	기타 학교 체육활동이라고 하더라도 학생들에게 유익하고 실행 가능할 뿐만 아니라 미래지향적인 목표 또는 방향을 설정함으로써 학생들이 지속적으로 스포츠활동에 참여할 수 있는 발판이 되어야 한다.
지역사회의 자원 활용	기타 학교 체육활동은 학생들에게 체육활동에 대한 이해, 스포츠문화의 체험, 진로탐색 등 여러 가지 교육적 가치가 있는 활동들이다. 학교의 시설이나 지도자 또는 예산이 기타 학교 체육활동을 하는 데에 걸림돌이 될 수도 있다. 그럴 때 지역사회 또는 인근 대학 등의 시설이나 인력을 적극 활용할 수 있도록 프로그램을 계획하는 것이 효과적이다.

생활체육 프로그램

1 생활체육의 이해

생활체육이란 용어는 1985년을 전 · 후해서 복지사회를 구현하기 위한 국민체육 진흥정책을 추진하는 과정에서 만들어졌다. 그런 관점에서 볼 때 생활체육 프로그램은 "중앙정부 또는 지방자치단체가 해당 지역 주민의 체육에 대한 욕구 및 수용에 대응하고, 그 활동을 사회적인 차원에서 보장해 주기 위한 정책을 수립하여 그것을 시행하는 내용을 모두 포괄하는 개념"으로 규정할 수 있다.

유럽을 중심으로 전개되었던 'TRIM' 운동이나 'SPORT FOR ALL' 운동이 우리나라에 정착된 것이 '생활체육'이라고 생각해도 된다. SPORTS FOR ALL 운동은 개인적으로는 체력을 육성하여 건강을 유지 · 증진하고, 자아를 실현하여 행복을 추구하며, 사회적으로는 시민의 결속을 다져 시민 화합을 도모하는 운동이다. 이 운동은 넓은 의미의 건전한 사회운동으로서 시민의 체력을 증진하고, 건전한 정신을 함양하여 명랑한 사회를 영위하게 하며, 나아가 스포츠를 통한 복지사회 건설에 이바지하는 것을 목적으로 하고 있다.

그러므로 생활체육은 시민 누구나 참여하여 함께 즐길 수 있는 체육의 정착화를 통해서 건전한 시민정신을 육성하는 데에 그 목적이 있다고 할 수 있다.

2 생활체육 프로그램의 목표

- ☞ 프로그램의 목표 설정 : 달성하려는 상태 및 운동능력을 구체적으로 명시할 것
- ☞ 스포츠활동 내용 기술 : 프로그램을 구성하는 스포츠활동의 내용을 구체적으로 상세하게 기술할 것
- ☞ 프로그램 전개의 지침 : 프로그램 전개 시 참여자의 행동 변화에 관한 일관된 지침 설정
- ☞ 프로그램 종료 후의 평가 : 프로그램 종료 후에는 평가를 통한 목표달성 여부 검토

3 생활체육 프로그램의 목적

생활체육은 모든 스포츠 종목의 활동을 포함하고, 모든 연령대의 일반인들을 대상으로 하기 때문에 범위가 아주 넓고 프로그램의 목적도 매우 다양하다.

여가선용	생활의 기본조건으로 의식주와 함께 여가선용이 강조되고 있다.
삶의 질 향상	인간은 생물적인 욕구 이외에 사회적 · 심리적 · 정서적 욕구를 가지고 있다. 생활체육은 그러한 인간의 욕구를 충족시켜 주어서 인간이 인간답게 살 수 있게 해주는 역할을 한다.
경험의 확대	생활체육은 다양한 스포츠활동을 통해서 경험을 확대시켜준다. 인간의 한계에 도전할 수도 있고, 경험의 폭을 넓혀서 삶을 풍요롭게 할 수도 있다.
스포츠기능의 향상	생활체육 프로그램에 참여하면 스포츠 기능의 향상을 기대할 수 있다. 자신의 스포츠 기량이 향상되면 생활이 명랑해지고 의욕이 생기며 승리의 기쁨을 맛볼 수 있다.
건강의 유지 및 증진	의학의 발달로 인간의 수명이 많이 연장되었다. 그러나 오래 사는 것보다는 건강하게 살기를 원한다. 건강하게 살기 위해서는 건전한 식생활과 함께 스포츠활동이 반드시 필요하다.
공동체 형성	인간은 사회적 동물이기 때문에 다른 사람과의 인간관계를 유지하면서 어울려서 살아가야 한다. 생활체육 활동을 통해서 지역공동체를 형성하고, 이웃끼리 서로 협력하는 공동체 의식을 기를 수 있다.

4 생활체육 프로그램의 구성 원리

생활체육 프로그램은 다양한 활동으로 구성될 뿐만 아니라 동일한 프로그램이라 할지라도 프로그램에 참가하는 대상의 특성, 시간, 장소에 따른 여러 가지 형태로 변형되어 시행되어야 한다. 따라서 바람직한 프로그램을 개발하고 이를 효율적으로 수행하기 위해서는 프로그램을 구성하는 데에 일관된 원리가 있어야 한다.

효과적인 생활체육 프로그램을 구성하기 위한 기본 원리로서 반드시 고려하여야 할 사항은 다음과 같다.

평등성	연령, 성별, 민족, 종교, 교육 수준, 사회, 경제적 지위에 관계없이 모든 사람에게 생활체육 프로그램 개발과 실행의 참여 기회가 제공되어야 한다.
창조성	건설적이고 창조적인 신체활동의 기회를 제공하여야 한다.
다양성	다양한 영역의 생활체육 활동을 제공하여야 한다.
봉사성	생활체육 프로그램의 일반화를 위해서는 시설과 더불어 지도자의 봉사가 요구되며 이것이 생활체육 프로그램의 성패를 좌우하게 된다.
욕구의 반영	생활체육 참여자 개개인의 욕구 충족 요소가 어떠한 형태로든 반영되어야 한다.
편의성	생활체육 관련 시설을 효율적으로 이용할 수 있도록 계획되어야 한다.
전문성	생활체육 프로그램은 자격을 갖춘 전문가에 의해 개발, 운영, 감독되어야 한다.
전달성	생활체육 프로그램이 모든 대중에게 적절한 대중 매체 및 홍보 수단을 통해 의미 있게 전달되어야 하다.
평가	생활체육 프로그램의 평가는 지속적이고 규칙적으로 이루어져야 한다.
수정 및 보완	생활체육 프로그램의 평가와 그 결과에 따라 프로그램을 질적 · 양적으로 수정 및 보완함으로써 생활체육 프로그램에 대한 가치와 신선미를 제고하여야 한다.

5 생활체육 프로그램 개발의 단계

기관 · 단체의 철학적 이해	대부분의 생활체육 프로그램은 공공기관이나 단체에서 개발해서 일반 국민들에게 제공한다. 그러므로 프로그램을 제공하려고 하는 기관이나 단체에서 추구하는 철학을 확실히 이해하고, 그에 걸맞은 프로그램의 목적을 설정해야 한다.
요구 분석	개발하려고 하는 생활체육 프로그램에 참여할 대상들이 원하는 것이 무엇인지, 또 그 생활체육 프로그램이 실시되는 지역사회에서 요구하는 것이 무엇인지 먼저 조사해서 알고, 그 요구사항을 만족시켜주면서 기관이나 단체에서 달성하고자 하는 목적을 이룰 수 있는 방법을 찾아내는 것이 요구 분석이다.
프로그램의 계획	생활체육 프로그램을 개발해서 시행하려고 하는 목적과 요구 분석을 통해서 알아낸 요구사항을 모두 만족시킬 수 있는 활동내용으로 계획을 세워야 한다. 프로그램 계획이 추상적이면 아무 쓸모없는 것이 되어버리므로 구체적이고 실천 가능한 내용으로 계획해야 한다.
프로그램의 실행	계획한 생활체육 프로그램을 실행하는 것이다. 스포츠지도사의 리더십과 실행능력이 절대적으로 필요하다.
프로그램의 평가	프로그램을 실행한 결과를 평가하는 것이다. 원하는 바 목적은 달성되었는가? 참여자들의 만족도는 어떠한가? 시행착오는 없었는가? 개선점은 무엇인가? 등이 평가의 주요 항목이 된다.

생활체육 프로그램 개발의 제2단계인 요구분석에 대하여 자세히 알아보아야 할 필요가 있다.

지역사회 거주자들의 연령대, 선호도, 경제적 수준, 지역의 스포츠시설, 문화적 배경 등을 고려해서 요구분석을 해야 한다.

요구분석을 위해서 자료를 수집하기 위한 설문지에는 ① 여가를 이용할 수 있는 범위와 정도 ② 스포츠활동에 참여도 ③ 스포츠시설에 대한 요구사항 ④ 지도자에 대한 만족도 또는 요구사항 ⑤ 기존의 프로그램에 대한 만족도 등이 반드시 포함되어 있어야 한다.

6 유소년스포츠 프로그램

☞ 유소년스포츠 프로그램은 4세에서 11세까지의 아동들을 대상으로 다양한 신체활동 및 움직임의 경험을 쌓게 함으로써 아동들의 심동적 · 신체적 · 정의적 능력을 향상시켜 건강하게 성장하도록 돕는 것을 목적으로 한다.

☞ 이 시기에는 호기심이 많고 스스로 해보려고 하는 적극적인 성향을 나타낸다. 그러므로 기본적인 운동동작을 습득하고 또래집단과의 상호관계를 유지하는 것이 중요하기 때문에 '움직임교육'이라고 하는 것이 적절하다.

▶ 유소년스포츠 프로그램을 구성할 때 고려해야 할 사항

자결적인 움직임 활동	유소년은 놀이와 움직임을 통하여 자기 유능감, 정서적 유대감, 감각적 인지발달, 신체적 · 정서적 건강을 도모하여야 한다.
다양한 신체 활동이 경험	유소년 기에는 다양한 신체활동을 경험하면서 운동신경이 골고루 발달하도록 고려해야 한다.
지역사회의 시설과 연계	유소년들에게 다양한 프로그램을 제공하려면 스포츠 시설, 스포츠 용품, 전문적인 지도사 등의 제약을 받을 수밖에 없다. 그러므로 주변 공공기관 및 민간시설과 연계해서 도움을 받도록 해야 한다.

스포츠활동 시간	유소년들은 특별히 해야 할 일이 있는 것이 아니므로 다른 연령대 보다 스포츠활동에 할애할 수 있는 시간이 많다. 부모들은 방과 후의 남는 시간이나 방학 중에 남는 시간에 아이들이 스포츠 프로그램에 참가해서 활동하기를 바란다. 그러므로 유소년들의 풍부한 스포츠활동 시간을 고려해서 프로그램을 구성해야 한다.

7 청소년스포츠 프로그램

청소년기는 신체적으로 매우 빠른 속도로 성장하고, 성 호르몬의 분비가 왕성해지면서 자신의 정체성에 혼란을 겪게 되는 시기이다. 이 시기에는 또래집단의 영향을 크게 받고, 부모세대와 가치관의 갈등을 겪으며, 학업과 미래에 대한 불안 때문에 아주 스트레스를 심하게 받는다. 그래서 건전하고 건강한 스포츠활동이 가장 필요한 시기이다.

▶ 청소년스포츠 프로그램을 구성할 때 고려해야 할 사항

청소년의 생활패턴을 고려해야 한다	대부분의 시간을 학교에서 보내고 학원 등에서 공부한 후 밤늦게 귀가하는 청소년들의 생활패턴을 고려해야 한다.
개인의 요구와 흥미를 고려해야 한다	청소년 시기에는 동적이고 모험적인 스포츠활동을 좋아하고, 남녀의 성차가 아주 뚜렷하게 나타나며, 살고 있는 지역에 따라서도 좋아하는 스포츠 종목이 달라진다. 그러므로 개인의 흥미 또는 욕구, 지역사회의 특성, 성별 등을 고려해서 스포츠 프로그램을 구성해야 한다.
스포츠활동의 지속성을 고려해야 한다	청소년기의 스포츠활동 경험이 평생의 스포츠활동에 아주 큰 영향을 미친다. 그러므로 청소년들이 스포츠활동에 규칙적으로 참여하여 건강한 운동 습관을 기를 수 있도록 하여야 한다. 장래에도 스포츠활동을 지속할 가능성이 높은 스포츠활동을 경험할 수 있도록 프로그램을 구성해야 한다.

8 성인스포츠 프로그램

성인기는 신체적 · 정신적으로 온전히 성장하였고, 일생 중에서 가장 활발하게 사회활동을 하는 시기인 만큼 신체적인 피로와 정신적인 스트레스에 가장 많이 시달린다. 그러므로 성인들의 건강 증진 또는 유지와 스트레스 해소를 위한 스포츠활동이 절실히 필요하다.

▶ 성인스포츠 프로그램을 구성할 때 고려해야 할 사항

스포츠활동을 할 수 있는 시간대를 고려해야 한다	성인들은 집에서는 남편과 아내 또는 아버지, 엄마의 역할을 해야 하고, 직장에서는 자신이 맡은 임무를 성실히 수행하는 것은 물론 자아실현과 더 좋은 미래를 꿈꾸기 위해서 자기계발을 해야 한다. 그러므로 출근 전, 퇴근 후, 또는 주말에 스포츠활동을 할 수 있고, 주부들은 아이들이 학교에 가 있는 오전 시간에 스포츠활동을 할 수 있으므로 그 시간대를 고려해야 한다.
지속성을 고려해야 한다	성인기에 참여했던 스포츠활동을 노년기에도 하는 경우가 대부분이다. 그러므로 성인기의 스포츠활동이 삶의 일부분이 되도록 유도하고, 지속가능성을 고려해야 한다.
경기력을 향상시켜야 한다	클럽활동이나 동호인 체육활동의 수준이 굉장히 높아져서 거의 전문체육에 가까울 정도이다. 그러므로 성인들의 스포츠 프로그램을 구성할 때에는 참가자들의 경기력을 향상시킬 수 있는 방안도 포함시켜야 한다.

9 노인스포츠 프로그램

우리나라는 이미 저출산 고령화사회에 진입하였다. 이에 정부에서는 "새롭게 태어나는 아이부터 노후의 마지막 생애까지 희망차고 행복하게"라는 복지정책(새로마지플랜)을 시행하고 있다. '새로마지플랜'의 목표는 점진적으로 출산율을 회복하고 고령화사회에 대한 대응체계의 마련이다. 노인들은 근력 · 근지구력 · 최대산소섭취량 등이 저하되기 때문에 신체적 활동이 크게 감소되고, 피로나 스트레스로부터 회복되는 회복력이 낮기 때문에 신체적 부담을 주는 스포츠활동을 피하게 된다. 거기에다 퇴직과 함께 사회적 영향력이 감소되고, 사회적으로 소외되어서 고립되고 위축된 생활을 하는 경우가 많다. 그러할수록 적당한 신체활동과 시회활동을 통해서 활기를 되찾아야 건강을 유지할 수 있다.

▶ 노인스포츠 프로그램을 구성할 때 고려해야 할 사항

노인의 신체적 · 심리적 · 사회적 특징과 요구 사항을 고려해야 한다	노인들의 신체적 특징과 심리 · 사회적으로 원하는 사항이 무엇인지를 파악한 다음 그것을 스포츠 프로그램에 반영해야 한다.
주변 요인을 고려해야 한다	노인들의 스포츠활동은 접근성과 이용성이 좋아야 하고, 노인들은 적극성이 떨어지므로 주변 시설이나 제도 들을 잘 활용할 수 있어야 한다.
노인의 흥미와 사회적 관계형성을 고려해야 한다	노인들은 모든 일에 흥미가 떨어지고 사회적으로 고립되어 있기 쉬우므로, 스포츠활동을 통해서 무기력에서 벗어나고, 다른 노인들과 사회적인 관계를 형성함으로써 삶에 활기를 불어 넣을 수 있도록 스포츠 프로그램을 구성해야 한다.
노인, 노인스포츠지도자, 스포츠행정가의 협력이 필요하다	노인들은 자기중심적이고 폐쇄적인 경향이 강하다. 그러므로 노인스포츠 프로그램을 계속해서 실행하려면 노인, 노인스포츠지도자, 스포츠행정가가 모두 협력해야 한다.

10 장애인스포츠 프로그램

우리나라에서는 국민체육진흥법 제34조에 따라 대한장애인체육회를 설립하면서부터 장애인체육이 활성화되기 시작하였다. 장애인스포츠 프로그램은 단순히 특수학교에서 장애인을 대상으로 하는 재활체육의 의미를 벗어나 학교체육, 생활체육, 전문체육 등 모든 스포츠 분야에서 장애인을 대상으로 삶의 즐거움과 활력을 찾을 수 있도록 스포츠활동을 계획하고 운영하며 서비스하는 것 전체를 의미한다.

장애인스포츠 프로그램은 장애유형에 따라서 활동이 가능한 스포츠 종목이 다를 뿐 아니라, 장애 정도에 따라서도 스포츠활동을 변형시켜야 하는 정도가 다르기 때문에 장애인스포츠 프로그램을 계획하는 데에 큰 어려움이 있다.

생활체육 영역에서 장애인스포츠 프로그램은 장애인들의 자발적인 참여에 의해서 이루어지기 때문에 스포츠활동을 통한 재활, 사회적 관계의 형성, 자아존중감의 형성, 행복추구 등을 목적으로 하는 것이 특징이다.

▶ **장애인스포츠 프로그램을 구성할 때 고려해야 할 사항**

장애유형별 특징과 요구사항 고려	장애인들은 스포츠활동에 대한 제약이 많고, 요구사항도 일반인과 다르다. 그러므로 장애유형에 따른 신체적 · 정신적 특성을 파악하고 그들의 요구사항을 고려해서 스포츠 프로그램을 구성해야 한다.
접근성과 편의성의 고려	장애인들이 접근하기 쉽고 이용하기 편리한 곳에 있는 스포츠 시설을 이용하는 스포츠 프로그램이어야 한다.
지속성의 고려	장애인스포츠 프로그램은 대부분 재활의 의미가 크다. 스포츠 활동을 통해서 재활 효과를 얻을 수 있으려면 장기간 동안 꾸준히 스포츠활동을 해야 한다. 그러므로 장애인스포츠 프로그램을 구성할 때에는 참여자가 지속적으로 참여한다는 장기적인 목표를 선정하고 프로그램을 구성해야 한다.

전문체육 프로그램

전문체육은 경기단체에 등록된 아마추어 선수가 행하는 운동경기 활동과 프로스포츠협회에 등록된 프로선수들이 행하는 프로스포츠 경기가 있다. 전문체육에서는 최고의 경기력을 발휘해서 경기에서 이기는 것이 목적이기 때문에 과학적인 방법으로 체계적인 지도를 해야 좋은 결과를 얻을 수 있다.

1 전문체육 지도계획을 개발할 때 반드시 거쳐야 하는 6단계(Martens, 2004)

제1단계 : 선수에게 필요한 기술 파악	코치의 가장 우선적인 일은 스포츠 기술을 지도하는 것이다. 그러므로 선수에게 필요한 기술을 파악한다는 것은 코치가 해야 할 일이 무엇인지를 파악하는 것과 마찬가지이다.
제2단계 : 선수의 이해	선수의 체력과 건강상태, 그동안의 운동경험과 기술 수준, 운동에 대한 열정과 동기, 개인의 성격, 동료와의 관계, 개인의 목표와 진로, 가정환경, 학교생활 등 선수에 관한 모든 것을 전반적으로 이해해야 한다.
제3단계 : 상황분석	지도계획을 수립하려면 주변 상황도 잘 알아야 한다. 선수의 수, 연습할 수 있는 공간과 시설, 팀의 분위기, 학부모와 학교의 지원 등을 파악하여 부정적인 영향을 미칠 수 있는 것을 먼저 개선하여야 한다.
제4단계 : 목표설정 및 우선순위의 결정	목표는 주어진 상황에서 성취 가능한 것을 구체적으로 설정해야 하고 단기 · 중기 · 장기 목표를 설정해야 한다.
제5단계 : 지도방법의 선택	무엇을 가르칠 것인지 목표와 우선순위가 결정되었으면 어떻게 지도할 것인지 지도방법을 선택해야 한다.
제6단계 : 연습계획의 수립	연습해야 할 내용과 우선순위가 결정되었으면 일일계획, 주간계획, 월별계획, 계절계획 등을 작성해야 한다. 연습계획은 시합일정에 맞추어서 최상의 컨디션으로 최상의 경기력을 발휘할 수 있도록 시즌 전, 시즌 중, 시즌 후로 구분해서 작성하는 것이 좋다. 연습계획에는 날짜, 시간, 목적, 장비, 기술내용, 평가 등이 포함되어 있어야 한다.

2 선수들을 지도하는 방법

직접형	코치가 직접 설명하고 시범을 보이면서 지도하는 방법이다. 직접형으로 지도하려면 가르치려고 하는 기술에 대한 지식과 경험이 풍부해야 한다.
과제형	차원이나 수준이 다른 몇 가지 과제를 준비하고, 선수들이 각자 과제를 선택하여 연습하게 하는 방법이다. 일정 시간 동안의 연습이 끝나면(또는 코치가 보았을 때 어느 정도 숙달이 되면) 다른 과제로 이동한다. 과제형 지도방법은 선수들이 각자 독립적으로 연습할 수 있다는 장점이 있다. 코치는 선수들이 연습할 때 순회하면서 피드백을 주면 되지만, 한두 선수에게 너무 집중하면 실패하게 된다.
상호형	2인 1조로 짝을 지어주고, 서로 보조 또는 지도해주면서 연습하도록 하는 방법이다. 직접형이나 과제형 지도방법의 일부 내용이 상호형과 서로 겹친다.
유도발견형	선수들에게 질문을 하면 선수들이 반응하면서 일련의 과제를 수행하도록 유도하는 방법이다. 이 방법은 선수 한 사람 한 사람이 가진 지식, 기술, 태도 등을 파악할 수 있을 뿐 아니라 선수들이 자기 주도형으로 책임감 있게 훈련을 할 수 있다는 장점이 있다. 그러나 선수들에게 던지는 질문이 지도하려는 목표를 달성할 수 있도록 잘 짜여 있어야 한다.
문제해결형	질문을 통해서 해답을 찾는다는 점에서는 유도발견형과 비슷하지만 질문의 내용이 선수들이 이미 경험한 것이라는 점이 다르다. 코치의 질문에 대하여 선수들이 자유롭게 다양한 의견을 제시할 수 있고, 그중에서 가장 좋다고 생각되는 방법을 선택해서 문제를 해결하여나가는 방법이다.

3 전문체육 스포츠프로그램의 실천

▶ 청소년 스포츠 코칭 프로그램

청소년 스포츠 코칭 프로그램은 초 · 중 · 고등학교 운동부 선수들을 지도하는 것을 말한다. 학교에서 교육의 일환으로 지도하는 것이므로 기능의 습득과 향상뿐만 아니라 인지적 · 정의적 · 사회적 · 정서적 발달을 도모할 수 있도록 해야 한다.

⊗ 청소년 스포츠 코칭 프로그램을 구성할 때 고려해야 할 사항

- ☞ 코치 중심이 아니라 선수 중심의 프로그램이어야 한다.
- ☞ 학생선수들의 운동수행능력만 가르치는 것이 아니라 인성을 지도하기 위한 지도계획도 반드시 있어야 한다.
- ☞ 스포츠 경기를 통해서 배우는 인내, 끈기, 자기유능감, 책임감 등이 일상생활에 전이될 수 있도록 지도해야 한다.

▶ 성인 스포츠 코칭 프로그램

대학의 운동선수 또는 실업팀이나 프로팀의 운동선수들을 지도하는 프로그램을 말한다. 성인 선수들은 목적이 뚜렷하고 직업이나 진로에 관심이 있으므로 자신이 판단해서 자신이 결정할 수 있도록 지도하는 것이 중요하다.

필수 및 심화 문제

■시립 실내수영장에서 하더라도 수업이므로 정규교과활동이다.
■교과활동 : p. 39 참조
■비교과활동 : 교과 및 성적영역(교과활동) 이외의 봉사활동 · 특별활동 등

필수문제

01 다음 학교체육 프로그램 중에서 비교과활동이 아닌 것은?

① 방과 후 학교스포츠클럽 활동 ② 운동부 활동
③ 시립 실내수영장에 가서 수영 수업 ④ 학급대항 농구대회 참가

■㉠=기능수준을 난이도에 맞추지 못함.
■㉡=기능을 선정(내용선정)하여 가르치는 방법은 내용 교수법 지식임.

필수문제

02 보기는 김 감독과 강 코치의 대화이다. ㉠에서 강 코치가 고려하지 못한 학습자 상태와 ㉡에 해당하는 적절한 교사 지식이 바르게 묶인 것은?

보기
김 감독 : 요즘 강 코치님 팀 선수들 지도에 어려움은 없는지요?
강 코치 : 감독님. ㉠ 제가 요즘 우리 팀 승리에 집착하다보니 초보 선수들에게도 너무 어려운 기능을 가르친 것 같습니다.
김 감독 : ㉡ 그럼, 선수들의 수준에 맞게 적절한 기능을 선정하고 가르칠 수 있는 방법을 함께 생각해봅시다.

	㉠	㉡		㉠	㉡
①	체격 및 체력	지도 방법 지식	②	기능 수준	지도 방법 지식
③	체격 및 체력	내용 교수법 지식	④	기능 수준	내용 교수법 지식

*지도 방법 지식 : general pedagogical knowledge
*내용 교수법 지식 : pedagogical content knowledge

■슐만의 7가지 교사 지식
· 내용(가르쳐야 할 교과의 내용)에 관한 지식
· 교육 환경(수업환경에 영향을 미치는) 지식
· 교육 과정(발달에 알맞은 내용과 프로그램에 관한) 지식
· 교육 목적(교육의 목적 · 목표 · 시스템에 관한) 지식
· 지도방법(모든 교과에 적용할 수 있는 지도법에 관한 지식
· 학습자와 학습자 특성(수업에 참여하는 학습자에 관한) 지식
· 내용 교수법(수업 특성 · 주제 · 상황에 맞춰 지도할 수 있는) 지식

심화문제

03 보기에서 설명하는 슐만(L. Shulman)의 교사 지식은?

보기
» 노인의 신체적 · 정신적 변화 등에 관한 지식
» 장애 유형에 따른 운동방법 등에 관한 지식
» 유소년의 행동양식, 신체발달 등에 관한 지식

① 교육과정(curriculum) 지식
② 교육환경(educational context) 지식
③ 지도방법(general pedagogical) 지식
④ 학습자와 학습자 특성(learners and their characteristics) 지식

정답 01 : ③, 02 : ④, 03 : ④

필수문제

04 보기에서 정 코치의 질문에 대한 각 지도자의 답변으로 적절하지 않은 것은?

보기
정 코치 : 메츨러(M. Metzler)의 절차적 지식에 대해 간단히 설명해 주시기 바랍니다.
박 코치 : 지도자가 학습자에게 움직임 패턴을 연습할 수 있게 하고 이를 경기에 적용할 수 있는 지식입니다.
김 코치 : 학습자가 과제를 연습하는 동안 이를 관찰하고 정확한 피드백을 제공할 수 있는 지식입니다.
한 코치 : 지도자가 실제로 체육 프로그램 전 · 중 · 후에 적용할 수 있는 지식입니다.
이 코치 : 지도자가 개념을 설명할 수 있는 지식입니다.

① 한 코치 ② 박 코치
③ 이 코치 ④ 김 코치

■ 메츨러의 교사의 지식 3가지
· 명제적(개념) 지식 : 수업에 필요한 규칙 · 내용 · 움직임 · 원리 등
· 절차적 지식 : 실제 수업현장에서 교사가 적용할 수 있는 지식(수업 관리)
· 상황적 지식 : 상황에 따른 의사결정의 시기 · 근거

필수문제

05 체육 프로그램을 지도할 때 실제학습시간(Acadernic Learning Time)을 바르게 설명한 것은?

① 체육활동에 할당된 시간
② 학습자가 운동에 참여한 시간
③ 학습자가 학습 목표와 부합한 과제의 성공을 경험하며, 참여한 시간
④ 학습자가 다른 학습자에게 피드백을 제공하는 시간

■ 실제학습시간 : 교사가 학업적 과제 수행에 할애한 시간이 아니라 학습자가 학습내용에 참여하여 소비한 시간

심화문제

06 일반학생을 대상으로 스포츠프로그램 운영 시 적절하지 않은 지도자의 행동은?

① 움직임 개념, 전략, 전술 이해 및 신체활동에 적용할 수 있는 충분한 기회 제공
② 다른 사람에 대한 존중과 협동의 중요성 경험
③ 승리의 중요성에 대한 지속적 강조
④ 건강한 삶의 영위수단으로서 스포츠의 중요성 이해

■ 일반 학생들에게 승리를 강조할 필요는 없다.

07 개방기술에 해당되지 않는 것은?

① 탁구 스매싱 ② 농구 자유투
③ 야구 배딩 ④ 축구 드리블

■ 농구 자유투는 정지되어 있는 목표를 향해서 던지는 동작이므로 폐쇄기술이다.

정답 04 : ③, 05 : ③, 06 : ③, 07 : ②

08 보기의 설명과 관련된 용어는?

보기
» 정규 농구 골대의 높이를 낮춘다.
» 반(half)코트 경기를 운영한다.
» 배구공 대신 소프트 배구공을 사용한다.

① 협동과제 ② 역할수행
③ 변형게임 ④ 학습센터

■ 변형게임의 예 : 야구→티볼, 야구+축구→발야구, 야구→주먹야구, 배구+축구→족구 등

■ 현장 연구의 특징
· 특정한 집단이 자신의 상황에 맞춰 과업을 잘 수행할 수 있는 방법을 찾기 위한 과정(집단적 협동과정)
· 자신의 현재 상황과 실천활동을 이해하기 위한 반성적 자기성찰의 과정(자기성찰 중시)
· 지도자에 의해 현재 상황을 개선하려는 과정(연속적인 순환과정)

필수문제

09 보기에서 설명하는 현장(개선) 연구의 특징으로 적절하지 않은 것은?

보기
현장(개선)연구는 체육 지도자가 동료나 연구자의 도움을 받아 자신의 강좌를 반성적으로 탐구하여 개선하는 데 목적이 있다.

① 집단적 협동과정이다. ② 자기 성찰을 중시한다.
③ 연속되는 순환 과정이다. ④ 효율성과 결과를 중시한다.

■ ④ 학교스포츠클럽은 학교체육진흥법 제10조(학교스포츠 클럽운동)의 지침에 근거하여 운영하는 것이지, 국가수준의 교육과정 편성운영 지침에 근거하여 운영되는 것이 아니다.
■ 학교체육진흥법 제10조(p. 21) 참조

필수문제

10 현행 학교스포츠클럽에 대한 설명으로 적절하지 않은 것은?

① 학교스포츠클럽은 방과 후, 점심시간, 토요일 등에 실시한다.
② 학교스포츠클럽 대회의 리그 유형에는 통합리그, 조별리그, 스플릿 리그 등이 있다.
③ 학교스포츠클럽의 활성화를 위해 단위학교는 학교스포츠 클럽 리그를 운영한다.
④ 학교스포츠클럽은 국가수준 교육과정 편성 · 운영 지침에 근거하여 운영된다.

심화문제

11 다음 중 학교스포츠클럽지도 프로그램의 활용 목적으로 적절하지 않은 것은?

① 일반학생들의 체력 저하가 심화됨에 따라 정기적인 체육활동의 기회를 제공한다.
② 학생들의 자율체육활동을 활성화하고 건강체력 증진과 활기찬 학교분위기를 조성한다.
③ 학생들의 체육활동 참여기회를 확대하고 경기에 참여할 수 있는 체험의 기회를 제공한다.
④ 학교스포츠클럽 대회는 휴일이나 주말보다는 주 중에 시행해서 신체활동에 참여할 수 있는 기회를 극대화하도록 한다.

■ ④ 학교스포츠클럽 대회는 휴일이나 주말에 시행한다.

정답 08 : ③, 09 : ④, 10 : ④, 11 : ④

12 학교스포츠클럽 활동에 대한 설명으로 적절하지 못한 것은?

① 스포츠 활동에 취미를 가진 동일 학교 학생들로 구성된다.
② 자율적으로 운영되고, 동아리라고도 한다.
③ 학생들의 건강과 학교생활 등에 생기는 문제들을 해결하기 위한 방안으로 도입하였다.
④ 활기찬 학교분위기를 형성하는 데에 목적이 있고, 교육과는 별 관계가 없다.

■ 학교스포츠클럽 활동 프로그램을 구성할 때는 교육과정과 연계, 미래지향적인 방향 설정, 지역사회의 자원활용 등을 고려해야 한다(p. 40 참조).

필수문제

13 보기의 방과 후 학교 체육활동 프로그램 개발 시 고려사항에 관한 설명 중 옳은 것으로만 묶인 것은?

보기
㉠ 학습자의 적성과 흥미를 고려한다.
㉡ 구체적인 목표와 미래 지향적 방향을 설정한다.
㉢ 교육과정과의 연계보다 프로그램의 특성을 고려한다.
㉣ 학교체육시설, 지도 인력, 예산 등은 제약 없이 사용이 가능하므로 이를 반영한다.

① ㉠, ㉡　　② ㉠, ㉢
③ ㉡, ㉢　　④ ㉡, ㉣

■ ㉢ 방과 후 체육활동 프로그램은 교육과정과 연계되어야 함.
■ ㉣ 시설 · 인력 · 예산 등을 무제한으로 사용하면 예산상 문제가 될 것임.

필수문제

14 보기에서 생활스포츠 프로그램의 교육목표 진술에 관한 설명으로 옳은 것만을 모두 고른 것은?

보기
㉠ 프로그램의 목표는 추상적으로 진술한다.
㉡ 학습 내용과 기대되는 행동을 동시에 진술한다.
㉢ 스포츠 참여자에게 기대하는 행동의 변화에 따라 동사를 다르게 진술한다.
㉣ 해당 스포츠 활동이 끝났을 때 참여자에게 나타난 최종 행동 변화 용어로 진술한다.

① ㉠, ㉡　　② ㉢, ㉣
③ ㉠, ㉡, ㉢　　④ ㉡, ㉢, ㉣

■ p.41(생활체육 프로그램의 목표) 참조.

정답 12 : ④, 13 : ①, 14 : ④

심화문제

15 보기의 생활체육 프로그램 목표 설정 시 고려해야 할 사항 중 옳은 것을 모두 고른 것은?

보기
㉠ 프로그램 전개 시 일관된 지침 역할을 하도록 설정한다.
㉡ 프로그램 시행 후 목표 달성 여부를 검토할 수 있도록 기술한다.
㉢ 프로그램을 통해 달성하고자 하는 상태 및 운동 능력을 명시한다.
㉣ 프로그램을 구성하는 스포츠 활동 내용을 구체적이고 세부적으로 기술한다.

① ㉠ ② ㉠, ㉡ ③ ㉠, ㉡, ㉢ ④ ㉠, ㉡, ㉢, ㉣

■ 모두 옳다.

16 다음 중 생활체육 프로그램을 목적을 준거로 분류한 유형이 아닌 것은?

① 축제형 ② 강습회형 ③ 공공형 ④ 지도형

■ 축제형, 강습회형, 지도형은 목적을 준거로 분류한 유형이고, 공공형, 준공공형, 사설형은 주관자를 준거로 분류한 유형이다.

17 보기는 생활체육 프로그램의 목적을 나열한 것들이다. 옳은 항목을 모두 선택한 것은?

보기
1. 여가선용
2. 삶의 질 향상
3. 삶의 경험 확대
4. 스포츠 운동 기능의 향상
5. 신체적 · 정신적 건강 유지 및 증진
6. 공동체 형성 및 시민정신 함양
7. 애향심 또는 애국심의 고취

① 모두 ② 1~5 ③ 1~6 ④ 1, 2, 4, 5

■ 애국심의 고취는 생활체육 프로그램의 목적이 아니다.

필수문제

18 보기는 생활체육 스포츠프로그램 구성 시 고려해야 할 사항들을 나열한 것이다. 어떤 생애주기의 스포츠프로그램인가??

보기
① 심리 · 사회적 특성 및 요구
② 주변요인 제고
③ 지속성
④ 다양성과 전문성

① 유소년 스포츠프로그램 ② 청소년 스포츠프로그램
③ 성인 스포츠프로그램 ④ 노인 스포츠프로그램

■ 스포츠 프로그램 개발 시 고려해야 할 사항 중에서 생애 주기별로 가장 특징적인 것을 하나씩 들면 ①유소년=자결적 움직임 활동, ②청소년=발달운동 중심, ③성인=지속성과 다양성, ④노인=건강 유지와 흥미 확대

심화문제

19 스포츠지도사가 생활체육 프로그램 설계 시 고려해야 하는 구성요소에 대한 설명으로 적절하지 않은 것은?

① 프로그램 설계시 목적 및 목표, 내용, 장소, 예산, 홍보 등이 포함된다.
② 홍보는 시대에 적합하게 다양한 방법으로 실행한다.
③ 장소는 접근성보다 최신식 시설을 우선으로 고려한다.
④ 예산은 시설대여비, 용품구입비, 인건비, 홍보비 등의 경비를 예측해야 한다.

■ 생활체육 프로그램을 구성할 때 적절한 장소는 참가자들의 접근성을 고려하여 설계해야 한다.

정답 15 : ④, 16 : ③, 17 : ③, 18 : ③, 19 : ③

필수문제

20 다음은 생활체육 프로그램 개발 시 반드시 거쳐야 하는 요구 분석을 설명한 것이다. 가장 옳은 것은?

① 프로그램을 제공하는 기관이나 단체가 추구하는 철학을 이해하는 것이다.
② 지역사회의 문제점 및 요구사항을 알아내는 것이다.
③ 프로그램을 통해서 달성하고자 하는 목적을 구체적으로 알아내는 것이다.
④ 프로그램을 실행하고 평가하기 위해서 필요한 사항을 알아내는 것이다.

■ 프로그램에 참가할 대상과 지역사회가 요구하는 것을 알아내는 것이 요구 분석이다.

심화문제

21 생활체육 프로그램의 요구 조사 및 분석에 관한 설명으로 옳지 않은 것은?

① 요구 조사에서는 연령, 성별, 선호도, 경제 수준 등을 고려해야 한다.
② 요구 조사에서는 생활체육 참여도, 기존 프로그램 만족도, 지도자에 대한 만족도 등을 질문한다.
③ 요구 분석 결과는 기존의 생활체육 프로그램을 개선하고 새로운 프로그램을 개발하는 데 활용한다.
④ 요구 분석은 생활체육 프로그램을 추진하고자 하는 지역사회와 참여자에 대한 사후 분석 절차이다.

■ 요구 조사 및 분석은 사후 분석 절차가 아니라 사전 분석 절차이다.

필수문제

22 보기의 성장단계별 스포츠 프로그램의 목적 중 옳은 것을 모두 고른 것은?

보기
㉠ 유소년스포츠 : 유아와 아동의 신체적 · 인지적 발달 도모, 기본적인 사회관계 형성
㉡ 청소년스포츠 : 운동기능 습득, 삶의 즐거움과 활력 찾기, 또래친구와의 여가 활동 참여
㉢ 성인스포츠 : 신체적 건강 유지, 사교, 흥미확대, 사회적 안정 추구

① ㉠ ② ㉠, ㉡
③ ㉡, ㉢ ④ ㉠, ㉡, ㉢

■ 모두 성장단계별 스포츠 프로그램의 목적으로 옳다.

정답 20 : ②, 21 : ④, 22 : ④

심화문제

23 다음 중 청소년 스포츠코칭 프로그램과 관련된 고려사항으로 적절하지 않은 것은?

■ 영역형 스포츠는 공격과 수비의 전환을 빠르게 하여 상대팀의 영역에서 득점하거나 자신의 영역을 잘 막아 내는 것이 중요하며, 상대팀의 영역에 진입하여 골을 넣는 것을 겨루는 스포츠이다. 축구, 농구, 핸드볼, 하키, 럭비 등이 대표적이다.

① 네트형 스포츠에서 공격계획을 수립하는 등의 일반적인 게임전략들이 배구 선수의 운동 수행능력을 증진시킬 수 있다.

② 코치가 게임 분류체계를 이용하면 같은 범주의 스포츠 안에서 일반적인 움직임의 요소들을 고려한 수업을 운영할 수 있다.

③ 영역형 스포츠에서 공간을 만들어내는 것과 같은 기초지식들은 하키나 농구게임에서 볼 수 있는 전술과 전략에 큰 도움이 되지 못한다.

④ 코치가 게임 분류체계를 이용하면 특정한 스포츠 기술에만 주안점을 두지 않고 같은 범주의 스포츠 안에서 선수들에게 전략을 제공할 수 있다.

필수문제

24 보기는 전문체육 프로그램 개발을 위한 단계를 설명한 것들이다. Martens가 제시한 6단계의 순서가 올바른 것은?

■ 6단계를 외우려고 하지 말고 이해해야 한다. 즉, 선수들을 위해서 어떤 프로그램을 개발하려고 하면 선수들에게 필요한 것이 무엇인지를 알아야 하고, 지금 현재 선수와 팀 또는 주변의 상황을 알아야 하며, 무엇부터 가르칠 것인지 우선순위를 결정한 다음, 지도방법을 결정하고, 연습계획을 세워야 한다.

보기

1. 선수들의 신체적 · 심리적 · 사회적 발달 단계를 파악한다.
2. 일일 · 월별 · 분기별 연습계획을 수립한다.
3. 우선순위를 결정한다.
4. 선수에게 필요한 스포츠기술과 생활기술을 파악한다.
5. 지도계획을 수립하기 위해서 주변상황을 분석해야 한다.
6. 지도방법을 선택한다.

① 4-1-5-3-6-2
② 3-6-1-4-2-5
③ 2-4-5-3-1-6
④ 1-2-3-4-5-6

정답 23 : ③, 24 : ①

심화문제

25 보기의 ㉠, ㉡에 해당하는 단계가 바르게 연결된 것은?

> 보기
> 마튼스(R. Martens)가 제시한 전문체육 프로그램 개발 6단계는 ㉠ ________, 선수 이해, 상황 분석, 우선순위 결정 및 목표 설정, ㉡ ________, 연습계획 수립이다.

	㉠	㉡
①	스포츠에 대한 이해	공간적 맥락 고려
②	선수 발달 단계에 대한 이해	전술 선택
③	선수단(훈련) 규모 설정	체력상태의 이해
④	선수에게 필요한 기술 파악	지도 방법 선택

■ 전문체육 프로그램 개발 6단계(R. Martens)
- 제1단계 : 선수에게 필요한 기술 파악
- 제2단계 : 선수의 이해
- 제3단계 : 상황 분석
- 제4단계 : 목표 설정 및 우선 순위 결정
- 제5단계 : 지도방법 선택
- 제6단계 : 연습계획 수립

26 보기에서 제시한 마튼스(R. Martens)의 전문체육 프로그램 지도 개발 단계를 순서대로 바르게 연결한 것은?

> 보기
> ㉠ 선수에게 필요한 기술 파악　　㉡ 지도 방법 선택
> ㉢ 상황 분석　　㉣ 우선 순위 결정 및 목표 설정
> ㉤ 선수 이해　　㉥ 연습 계획 수립

① ㉠－㉢－㉤－㉣－㉥－㉡
② ㉠－㉢－㉣－㉤－㉥－㉡
③ ㉠－㉤－㉣－㉢－㉡－㉥
④ ㉠－㉤－㉢－㉣－㉡－㉥

■ 위의 문제 참조.

27 프로그램 지도계획에 대한 설명 중 옳지 않은 것은?

① 가능한 시설과 용구, 시간, 참여자 수 등을 고려해야 한다.
② 프로그램 목표가 명확하게 진술되어야 한다.
③ 내용의 범위와 계열성을 확인해야 한다.
④ 평가절차는 포함하지 않는다.

■ 프로그램 지도계획에서는 평가절차도 중요하다.

정답　25 : ④, 26 : ④, 27 : ④

05 Chapter 스포츠교육의 지도방법론

스포츠 지도를 위한 교육모형

1 교육모형

교육모형……교사의 수업행동과 수업구조를 한눈에 알아볼 수 있도록 수업계획서를 작성한 것

교육모형에는 다음과 같은 항목들이 포함되어 있어야 한다.

주제……교육모형을 간결하게 설명할 수 있는 문장이나 표어

개요……교육모형에 대한 간단한 설명과 특징 및 아래의 사항

- ⓐ 내용선정 : 학습할 내용과 수행 성취기준을 누가 정하느냐?
- ⓐ 수업운영 : 수업규칙과 상규적 활동을 누가 계획하고 결정하느냐?
- ⓐ 과제제시 : 과제로 제시하는 것을 누가 계획하고 결정하느냐?
- ⓐ 참여형태 : 학생들이 수업에 참여하는 방법과 정도를 누가 결정하느냐?
- ⓐ 상호작용 : 교사와 학생의 상호작용이 누구의 주도로 이루어지느냐?

교사……이 교육모형으로 수업을 진행하기 위해 교사가 반드시 갖추고 있어야 할 지식과 태도

2 교육모형의 종류

▶ 직접교수 모형

직접교수 모형의 핵심은 교사의 지도관리 하에 학생들에 연습을 많이 할 수 있도록 하고, 학생들이 연습하는 것을 교사가 관찰하면서 긍정적이고 교정적인 피드백을 가급적 많이 제공하는 것이다.

주제 : 교사가 수업의 리더 역할을 한다.

개요 : 교사가 주도적으로 수업을 조직하고 운영한다.
내용의 선정, 수업운영, 참여형태, 상호작용 등에 대한 결정권이 모두 교사에게 있다.

교사 : 명확한 학습목표와 학습과제를 제시해야 하며, 학생들에게 참여의 기회와 피드백을 제공할 수 있는 능력이 있어야 한다.

▨ 직접교수 모형을 활용한 6단계 수업

- ⓐ 전시과제 복습 : 이전 수업내용의 간단한 복습
- ⓐ 새로운 과제 제시 : 교사가 학생이 배울 새로운 내용(개념, 지식, 기능) 제시
- ⓐ 초기과제 연습 : 구조화된 연습으로 이어지고, 주어진 과제를 수행하기 위한 연습
- ⓐ 피드백 및 교정 : 교사는 학생이 다음 단계로 이동할 준비 여부를 확인하기 위해 주로 운동수행 과제를 다시 가르치거나 이전 학습과제를 되풀이하는 단계
- ⓐ 독자적인 연습 : 교사가 학생이 좀더 독립적으로 과제를 수행할 수 있도록 연습계획을 세우는 단계
- ⓐ 본시 복습 : 교사는 학생의 이전 수업내용의 기억 정도를 확인하여 새로운 학습내용은 이전 수업내용을 토대로 형성된다는 것을 알려주는 단계

▶ 개별화지도 모형

개별화지도 모형의 핵심은 교사가 미리 계획한 학습과제를 학생 개개인이 자신에게 맞는 속도로 배우도록 하는 것이다. 학습과제를 완수한 학생은 교사의 허락이나 지시 없이 전체 단원의 내용목록 중에서 다음 과제로 이동한다. 그러면 학생은 자기주도적인 학습자가 되고, 교사는 상호작용이 필요한 학생과 더 많은 상호작용을 할 수 있게 된다는 것이다. 심동적 영역과 인지적 영역의 학습에 매우 효과적인 모형이다.

주제 : 수업진도(가능한 한 빨리, 필요한 만큼 천천히)는 학생이 결정한다.

개요 : 학습진도가 빠른 학생은 교사의 동의 없이도 진도를 계속 나갈 수 있고, 학습진도가 느린 학생은 교사와 상호작용하면서 학습할 수 있다.

- ⊗ 내용선정과 과제제시는 교사가 계획하고 결정한다(직접적).
- ⊗ 수업운영, 참여형태, 상호작용은 상호작용적이다.
- ⊗ 학습진도와 과제전개는 학생이 정한다(간접적).

교사 : 간결하고 정확하게 학습목표를 제시해야 하고 학생의 발달단계에 적합하도록 수업을 해야 한다. 성취기준을 설정하고 타당한 평가방법을 알고 있어야 한다.

▶ 협동학습 모형

협동학습 모형의 핵심은 학습과제가 사회에서 업무를 수행하는 방식으로 수행된다는 것이다. 학생들은 공동 과제를 수행하면서 혼자서 배우는 것보다 함께 배우는 것이 좋다는 것을 알게 되고, 자신과 타인에 대해 더 잘 이해하게 된다. 팀원 중에서 능력이 뛰어난 학생과 그렇지 못한 학생 사이에 갈등이 생길 소지가 있다.

주제 : 서로를 위해 함께 배우기

특성 : 이 모형은 팀보상, 개인의 책무성, 학습성공에 대한 평등한 기회제공의 세 가지 개념에 기초한다.

개요 : 학생들의 학업성취 수준을 높이고 상호작용과 사회적 기술을 지도하기 위해서 만들어진 교육모형이다. 모든 학생에게 동등한 학습참여 기회를 보장하고, 학생 중심으로 수업이 이루어진다. 내용선정과 수업운영은 교사가 하고, 참여형태와 상호작용은 상호작용적이다.

교사 : 학생들의 성향과 재능을 고려해서 조를 편성해야 하고, 학습이론에 대한 지식이 풍부해야 한다. 효율적인 학습 분위기를 조성할 수 있는 능력과 학습과제를 창의적이고 도전적으로 구조화할 수 있는 능력이 있어야 한다.

▨ 교수전략

• 직소(Jigsaw)학습

- ☞ 학생 모두가 학습의 주체가 되어서 서로 가르치고 배우는 소집단 협동학습 모형이다.
- ☞ 학습과제를 몇 개의 학습주제로 나눈다.
- ☞ 주제의 수에 맞추어 소집단(group)으로 나눈다.
- ☞ 각각의 소집단에 주어진 주제에 대하여 소집단에 소속된 학생 전원이 연구토론한다.
- ☞ 각 소집단에서 발표자 1명씩을 선정한다.
- ☞ 발표자들이 모여서 발표하면 그것을 배운다.
- ☞ 배워온 학생이 자기의 소집단에 가서 가르친다.

• 팀-보조 개별 학습(TAI)

☞ '팀(협동)학습 방법이 가미된 개별화학습 모형'이라는 뜻

☞ 이질적인 학생들로 소집단을 구성한다.

☞ 개별적으로 진단검사를 받고, 개별적인 문제지도 개별학습을 한다.

☞ 개별문제를 다 풀 때까지 개별학습을 하되, 모르겠으면 교사나 팀원의 도움을 받는다.

☞ 2명씩 짝을 지어서 상대의 문제와 답을 점검한다.

☞ 답이 어느 수준(예 ; 80점)에 이를 때까지 계속한다.

☞ 전체 시험을 본다.

• 학생 팀-성취 배분(STAD)

☞ 교사는 팀이 필요로 하는 자원을 제공하며, 1차 연습시간을 제시하고 팀별로 연습시킨다.

☞ 각 팀의 팀원들은 모두 학습한 지식 및 기능을 평가받고, 팀원 전체의 점수를 합계하여 팀 점수로 한다.

☞ 팀은 같은 과제를 위해 2차 연습시간을 갖는다. 이때 팀은 협동심을 강조하여 팀원 전체의 점수를 높이는 데 주력한다. 팀 점수가 1차 평가보다 높아야 한다는 것을 알려준다.

• 팀 게임 토너먼트(TGT)

☞ 학생을 팀별로 나누어 할당된 학습과제를 1차 연습한다. 각 팀의 팀원 모두의 1차 연습이 끝나면 팀별로 시험을 본다.

☞ 각 팀에서 1등, 2등, 3등, 4등을 차지한 학생의 점수와 다른 팀에서 같은 등수인 학생의 점수를 비교한다. 같은 등수라도 더 많은 점수를 얻은 학생에게 일정한 가점을 준 다음 2차 연습시킨다.

☞ 2차 연습 후에는 1차 평가 때와 같은 방법으로 점수를 비교한다.

☞ 게임이 종료된 후 가장 높은 점수를 받은 팀이 승리한다.

• 집단 연구(GI)

☞ 팀이 협동하여 수행한 학습과정에서 학습결과를 공유한다.

☞ 팀이 선정되고 과제가 할당되면 각 팀은 3주 안에 과제를 완성해야 한다. 학생들은 수업시간이나 그 외의 시간을 이용하여 과제를 수행할 수 있다.

☞ 포스터, 콜라주, 영상, 컴퓨터 그래픽, 보고서 등을 활용하여 단체 프로젝트 형식으로 발표한다.

▶ 스포츠교육 모형

전통적인 스포츠 지도에서는 학생들은 선수라는 단 한 가지 역할만 학습하게 되지만 스포츠교육 모형에서는 모든 학생이 두 가지 이상의 역할 배우게 된다는 것이 핵심이다. 학생들을 완벽한 의미에서의 '스포츠인'으로 만드는 것을 목적으로 한다.

주제 : 유능하고 박식하며 열정적인 스포츠인으로 성장하기

개요 : 학교의 체육수업이 스포츠 기능 습득 중심으로 운영되고 있어서 학생들이 실제 경기를 통한 즐거움과 흥미를 거의 느끼지 못한 채 수업에 참여하고 있다는 비판에서 시작되었고, 스포츠 리그의 조직으로부터 유래된 교육모형이다.

모든 학생들은 선수임과 동시에 리그의 운영자 중의 한 사람이 된다.

리그 운영에 필요한 다양한 역할 경험을 통해서 스포츠의 다양한 가치를 배우고 긍정적이면서 교육적인 체험을 하게 된다.

내용선정과 수업운영은 상호작용적이고, 과제제시 · 참여형태 · 상호작용은 반은 직접적이고 반은 간접적이다.

▨ 스포츠교육 모형의 3가지 목적

☞ 유능한 스포츠인 : 경기에 참여할 수 있는 충분한 기술과 풍부한 경기지식

☞ 박식한 스포츠인 : 스포츠의 규칙 · 의례 · 전통의 이해

☞ 열정적인 스포츠인 : 어떤 스포츠문화이든 다양한 스포츠문화를 보존하고 증진시킬 수 있는 방향으로 행동하고 참여

▨ 스포츠교육 모형의 6가지 요소(D. Siedentop)

☞ 시즌 : 전통적인 내용의 단원보다 시즌이라는 개념을 이용한 체육수업

☞ 팀 소속 : 학생은 시즌 동안 한 팀의 멤버가 되어 시즌 종료 시까지 공동목표를 달성하기 위해 노력함

☞ 공식경기 : 시즌의 조직과 운영에 관련된 의사결정에 참여

☞ 결승전 : 결승전은 축제같은 분위기 속에서 치뤄져야 함.

☞ 기록 보존 : 경기수행 과정에서 양산된 기록의 효율적인 사용

☞ 축제화 : 스포츠 이벤트는 축제 분위기를 조성

▨ 스포츠교육모형의 10가지 학습목표

① 특정 스포츠에 대한 기능과 체력을 발달시킨다.

② 스포츠 경기의 전략을 이해하고 수행할 수 있다.

③ 발달 단계에 적합한 스포츠에 참여할 수 있다.

④ 스포츠 경험에 대한 계획 수립 및 운영 방법의 결정과정에 적극 참여할 수 있다.

⑤ 책임 있는 지도력을 배양한다.

⑥ 공동의 목적을 위해 집단 내에서 효율적으로 참여할 수 있다.

⑦ 각 스포츠의 고유한 의미가 내재해 있는 의례와 관습을 수행할 수 있다.

⑧ 스포츠 쟁점에 대한 합리적인 의사결정 능력을 발달시킨다.

⑨ 경기 심판이나 훈련 방법 등에 대한 지식을 발달시키고 적용한다.

⑩ 방과 후 스포츠활동에 자발적으로 참여하도록 한다.

▶ 과제교수(스테이션교수) 모형

과제교수는 학생들이 이미 배운 적이 있는 기술을 실행할 때, 스스로를 평가할 때 또는 결과 지향적 작업을 수행할 때 효과적이지만, 새롭거나 복합적인 기술을 소개할 때는 효과적이지 못하다. 예를 들어 "디스크를 열 번 던져서 숫자판을 맞히고 뒤로 물러나라."와 같은 명확한 목표가 있는 간단한 작업에 효과적이다.

주제 : 학생들이 서로 다른 과제들을 동시에 익히도록 하는 데 효과적인 교수 · 학습전략이다. 이 접근방법은 '스테이션교수' 또는 '자기확인'이라고도 한다(Mosston & Ashworth, 2000).

개요 : 학생들이 순서대로 줄을 서서 기다릴 공간이 필요하지 않기 때문에 공간과 장의 제약을 보충해준다는 점에서 이점이 있다.

균형 잡기 단원에서 제한된 균형 잡기 보드와 균형 잡기 도구를 가지고 있으면 교사들은 각각의 장비를 가지고 과제를 설정할 수 있고, 학생들이 공간을 돌아가며 접하게 할 수 있다.

과제교수는 학생들이 넓은 공간을 활용하여 수업을 하거나 언어적 의사소통이 어려울 때 효과적인 방법이다.

▶ 동료교수 모형

동료교수 모형은 여러 학생이 연습하는 것을 교사 한 사람이 제대로 관찰하기 어려울 뿐 아니라 피드백을 주기도 어렵다는 문제점을 줄이기 위해서 고안된 학습모형이다. 개인 교사(임시로 교사의 역할을 담당하는 학생)와 학습자(개인교사의 관찰 및 감독 하에서 연습하는 학생)가 짝을 이루어 학습활동을 하지만 나머지 모든 것은 교사가 통제한다.

주제 : 나는 너를 가르치고, 너는 나를 가르친다.

개요 : 학생들이 교사의 역할과 학습자의 역할을 번갈아가면서 수행함으로서 주어진 학습과제를 완수해 나가는 방법이다.

동료교수 모형은 '학생들이 교대로 서로 가르치는 것'이고, 협동학습 모형은 '서로 함께 배우는 것'이라는 점이 다르다.

학습진도는 학생이 결정하고, 상호작용적이다.

나머지 내용선정, 수업운영, 과제제시, 참여형태 등은 모두 교사가 결정한다.

교사 : 운동기능이나 개념같은 지도해야 할 내용을 잘 알고 있으면서 순차적으로 학습과제로 제시할 수 있는 능력과 개인교사(동료교사)와 학습자가 서로 책임감을 느낄 수 있는 분위기를 조성하는 것이 중요하다.

▶ 탐구수업 모형

학생들을 지적 · 신체적 · 정서적으로 모두 발달시키기 위해서 전체 지도 단원에 걸쳐서 거의 독점적으로 질문을 활용해야 탐구수업 모형이라 할 수 있고, 움직임에 대하여 깊이 탐구하고 발견의 기회를 제공할 필요가 있을 때 적용한다.

주제 : 문제 해결자로서의 학습자

개요 : 학생들에게 주어진 문제를 해결할 수 있는 능력을 길러주는 데에 초점을 맞춘 수업방법이다. 교사가 학생에게 사고력 · 문제해결력 · 탐구력 등을 향상시킬 수 있는 질문을 하면, 학생이 언어나 움직임의 형태로 대답을 하되 정해진 답변이 아닌 창의적이며 폭넓은 대답을 함으로서 수업이 이루어진다.

내용선정과 과제제시는 직접적, 수업운영은 직접적과 상호작용적의 중간, 참여형태는 간접적, 상호작용은 상호작용적이다.

교사 : 학생에게 질문을 잘해야 수업이 이루어지기 때문에 발달이론과 발견학습에 관한 지식이 풍부해야 한다. 체육시간에 인지교육을 할 수 있다는 것이 특징이므로 인지적 지식의 유형을 분석하는 능력과 다양한 체육교육의 내용도 숙지하고 있어야 한다.

▶ 전술게임 모형

전통적인 체육수업에서는 게임의 부분 기능만을 학습하지만 전술게임 모형에서는 실제 게임과 유사한 학습활동을 통해서 게임을 수행하는 데에 필요한 가장 본질적인 전술들을 학습할 수 있다는 것이 핵심이다.

주제 : 이해 중심의 게임 지도

개요 : 전통적인 체육수업에서는 게임의 부분 기능을 연습하고 게임의 규칙을 간단히 소개한 후에 경기를 하는 방식으로 전개된다. 부분적인 기능의 학습보다는 실제로 게임을 하면서 필요한 전략이나 기능을 학습하는 것이 가장 큰 특징이다.

내용선정과 수업운영은 교사가 하고, 과제제시와 참여형태는 교사가 하되 학생에게 약간의 선택권이 주어진다. 상호작용과 학습진도는 상호작용적이다.

교사 : 인지적 영역과 심동적 영역의 상호작용을 기초로 학습목표를 수립해야 하고,학생이 연역적인 질문을 통해서 문제를 해결할 수 있도록 유도해야 한다.

• 이해 중심의 (전술)게임 지도 모형

게임 → 게임 감상/이해 → 전술인지 → 의사결정 → 기술연습 → 게임수행

▨ 알몬드(L. Almond)의 게임 분류

게임 분류	예
영역침범형	» 농구, 축구, 하키, 풋볼, 라크로스, 넷볼, 프리스비
네트형/벽면형	» 네트형 : 배드민턴, 탁구, 배구 » 벽면형 : 라켓볼, 스쿼시
필드형	» 야구, 크리켓, 킥볼, 소프트볼
표적형	» 당구, 볼링, 골프, 크로켓

*동일한 분류에 속하는 게임들은 이해하고 수행하는 데 도움이 될 수 있다(**게임 전술의 전이 가능성**).

▶ 개인적 · 사회적 책임감 지도 모형

체육이라는 교과목을 아동과 청소년의 전인 교육에 공헌 하는 과목으로 자리매김하기 위해서 등장한 모형이다. 책임감과 신체활동이 별개의 학습 결과가 아니므로 두 가지가 동시에 추구되고 성취되어야 한다는 것이다. 그러기 위해서는 모든 학생들이 신체활동을 연습하는 동안에 긍정적인 행동을 배우고, 바람직한 의사결정 습관을 발달시킬 수 있도록 안전한 학습경험을 제공하고 해야 하고, 교사와 학생들 간의 대화가 아주 중요하다.

주제 : 통합, 전이, 권한위임, 교사와 학생의 관계

개요 : 위험한 환경에 노출되어서 각종 교육적 혜택을 받지 못하는 불우한 학생들에게 체육을 가르치기 위해서 개발되었다. 학생이 자신과 타인에게 책임지는 방법을 체육을 통해서 가르치려는 것이다.

내용선정과 과제제시는 교사가 하고, 수업운영은 학생과 교사가 상호작용적으로 한다.

교사 : 신체활동의 내용을 각 책임감의 수준에서 활용하는 방법을 알고 있어야 하고, 청소년의 정서적 성숙과 사회적 기술에 대한 지식이 풍부해야 한다.

▨ 개인적 · 사회적 책임감 지도 모형의 책임감 수준(D. Hellison)

수준	단계	의사결정 및 행동	
0	무책임감	» 책임감에 대한 수용 의지와 참여 의지 없음. » 비난하기, 욕하기, 놀리기, 괴롭히기, 수업 방해하기 등	낮은 수준의 책임감
1	타인의 권리와 감정 존중	» 타인을 방해하기 감소 » 약간의 자기 통제	
2	참여와 노력	» 동기부여 있음 » 교사가 있을 때 열정적으로 참여	
3	자기방향 설정(자기주도)	» 교사의 감독 없이 스스로 계획하고 진행 완수 » 자기평가 및 목표설정이 가능함	
4	돌봄과 배려	» 다른 사람을 고려하고 인정함 » 경청하고 대응하는 자세	
5	(일상생활로의) 전이	» 지역사회에 도움되기, 타인 가르치기 » 학교 밖에서 훌륭한 역할로 본보기 되기	

▶ 하나로 수업모형(인성함양 체육수업 모형)

체육활동을 통해서 단순히 신체적 측면만을 발달시키는 것이 아니라, 전인(全人)을 길러내려고 하는 수업모형이다. 하나로 수업모형에서는 학생들이 갖추어야 할 핵심적인 인성요소로 지(知-성실), 예(禮-협동), 의(義-정의), 인(仁-배려)을 들고 있다.

하나로 수업모형에서는 전인(참 좋은 사람)을 길러내기 위하여 다음과 같이 네 가지 목표를 제시하고 있다.

☞ 기능, 지식, 태도를 하나로 – 그리하여 전인이 되도록! = 스포츠의 본 모습을 종합적으로 체험하는 것

☞ 하기, 읽기, 쓰기, 보기, 듣기를 하나로 – 그리하여 온몸과 마음으로 겪는 수업이 되도록! = 총체적 스포츠 경험의 구체적인 형식

☞ 학교공부와 일상생활을 하나로! – 그리하여 삶의 체육이 되도록! = 스포츠를 통해 학교에서 배운 것을 일상생활에서 실천하는 것(삶과 교육의 일치)

☞ 서로 다른 사람을 하나로! – 그리하여 모두를 위한 체육이 되도록! = 타인과의 소통과 관계를 지향한다.

스포츠 지도를 위한 교수기법

▶ 성공적인 스포츠지도

교사 또는 스포츠지도사가 학습활동을 통해서 학습자를 지도했을 때 ① 학습자가 무엇인가를 배워서 알게 되었고, ② 학습과정을 학습자가 즐겁게 받아들였으며, ③ 그러한 학습이 지속적으로 이루어지면 '성공적인 스포츠지도'라고 한다.

교사나 스포츠지도사가 학생들을 성공적으로 지도하는 수업에서는 다음과 같은 특징들이 발견된다고 한다.

☞ 학습내용과 관련된 활동시간이 많다.

☞ 학습자가 과제에 참여할 수 있는 기회가 많다.

☞ 학습내용이 학습자의 발달과정에 적절하다.

☞ 따뜻하고 긍정적인 학습 분위기가 유지된다.

▨ 지도를 위한 준비

학생들을 지도하려면 먼저 지도계획을 작성해야 하는데, 그 지도안을 작성하려면 다음과 같은 것들을 먼저 분석해봐야 한다.

ⓐ 맥락분석……가르치고자 하는 내용이 무엇인가?
학습자의 발달 수준에 가르치려는 내용이 적절한가?
학습자들이 그 내용을 배우고 싶어 하는가?
가르치는 순서는?
가르치는 데에 필요한 시간은?
공간과 시설은?
장비는?
도움을 받을 수 있는가?

ⓐ 내용분석……가르칠 내용과 순서 및 시간을 정한 다음 그것을 차시별로 정리한다.

ⓐ 학습목표 분석……체육시간이라고 해서 운동기능만 가르치는 것이 아니다.
행동목표=성취해야 하는 기능 또는 행동, 지식
일반목표=인지적 목표 + 정의적 목표

ⓐ 관리구조 분석……학습관리, 안전관리, 출석관리, 용기구관리 등

ⓐ 평가……평가의 기준은? 평가의 방법은? 평가의 절차는? 평가의 시기는?

ⓐ 지도자와 학습자의 역할과 임무…… 운동기능의 숙달? → 지시자의 역할(모방학습)
운동기능의 창조? → 추진자의 역할

▨ 지도계획안(교수학습 과정안) 작성 요소(M. Metzler)

ⓐ 지도맥락 기술……학습자의 특성 · 시간 · 장소 · 수업지시 등에 관한 지도맥락 설명

ⓐ 학습목표 제시……한 수업에 1~3개 정도의 구체적인 학습목표 설정

ⓐ 시간과 공간 배정……수업시간 · 수업환경 · 수업관리방법 등을 고려한 지도시간을 설정하여 과제별 활동시간 배정

ⓐ 학습할 목록작성……학습자의 학습수행 과정에 따른 학습할 목록 작성

ⓐ 학습과제의 구조 및 과제 제시……과제내용의 구조와 구체적인 과제 제시

ⓐ 학습평가……평가시기 · 평가관리 · 절차에 따른 문제 등을 설명

ⓐ 정리 및 종료……학습내용의 재확인을 위해 학습정리 및 종료

▨ 메츨러(M. Metzler)의 주장

"참여적 학습에서는 협동학습모형 · 동료교수모형 · 탐구수업모형이 효과적이고, 회피적 학습에서는 개별화 지도모형 · 직접교수모형 · 전술게임모형(이해 중심 게임모형)이 효과적이다."

▨ 지도계획안을 작성할 때의 고려사항

☞ 정교하고 유연한 계획을 수립해야 한다.

☞ 자신이 사용할 목적으로 작성해야 한다.

☞ 학습자들이 학습과제를 계획보다 빨리 성취했을 때에 대비해서 추가 학습계획을 수립해

두어야 하고, 학습과정에 돌발적인 사태가 발생했을 때를 대비해서 대안계획을 수립해 두어야 한다.

지도내용 연습 시 교사의 행동

학생들이 지도내용을 연습하는 동안에 교사가 취해야 할 행동에는 직접적인 기여행동, 간접적인 기여행동, 비기여행동, 학습자와의 상호작용 등이 있다.

1 직접적인 기여행동

직접적인 기여행동은 교사가 취하는 행동이 학생들의 학습에 직접적으로 영향을 미치는 행동을 말하고 교수행동과 운영행동으로 나눌 수 있다. 교수행동은 학습과제를 학생들에게 가르치는 행동이고, 운영행동은 학습환경을 조성하는 행동이다. 성공적인 지도를 위해서는 수업에 직접적인 기여행동의 비율이 간접적인 기여행동이나 비기여행동보다 더 높아야 한다.

▨ 효과적인 직접적인 기여행동

- ⓐ 안전한 학습환경의 유지
- ⓐ 과제의 명료화와 강화
- ⓐ 생산적인 학습환경의 유지
- ⓐ 피드백의 제공
- ⓐ 개인과 소집단을 위한 과제의 변형 및 수정
- ⓐ 학습자 반응의 관찰과 분석

2 간접적인 기여행동

학생들의 학습활동과 관련되지만, 직접적인 교수활동은 아닌 것을 간접적인 기여행동이라고 한다.

▨ 효과적인 간접적인 기여행동

- ☞ 부상당한 학생 돌보기
- ☞ 학습내용과 관련이 없는 내용에 대하여 학생들과 이야기하기……친절하지만 신속하게 끝내고 가급적이면 수업시간이 끝난 다음에 한다.
- ☞ 용변이나 물 마시는 행동 처리하기
- ☞ 학생들의 연습경기에서 심판보기……동작이나 전술의 시범 또는 동기유발을 목적으로 심판을 보아도 되지만, 이 경우 다른 학생들은 지도자와 아무런 관계도 없이 방치된다는 것을 기억해야 한다.

3 비기여행동

학생들이 연습하고 있는 동안에 학부형과 이야기한다든지 잠깐 다른 일을 보는 것처럼 수업에 전혀 도움이 되지 않는 행동을 하는 것이다. 비기여행동은 가능한 한 안 하려고 노력해야 한다.

4 학습자와의 상호작용

교사와 학생이 서로 의사소통을 하는 것을 학습자와의 상호작용이라고 한다. 간접적인 기여활동에서의 상호작용은 수업내용과 관련이 없는 것이고, 여기에서의 상호작용은 수업내용과 관련이 있는 것이다.

▨ 효과적인 의사전달 전략

☞ 말하는 사람의 주제를 분명하게 한다.
☞ 판단하지 말고 설명해야 한다.
☞ 학생의 입장을 이해하여야 한다.
☞ 다른 사람의 감정을 민감하게 받아들여야 한다.
☞ 언어적 단서와 비언어적 단서에 모두 유의해야 한다.

▨ 효과적인 의사수용 전략

☞ 들은 이야기를 정확하게 이해해야 한다.
☞ 비언어적 단서에 유의해야 한다.
☞ 주의를 집중해야 한다.
☞ 자신이 느끼고 있는 감정이 학생이 하는 말에 영향을 미친다는 것을 알아야 한다.

▨ 질문의 활용

질문은 학습의 인지적 참여를 독려하는 데 중요한 역할을 할 뿐만 아니라 학생의 동기를 유발하는 역할을 한다.

▨ 질문의 유형

ⓐ 회상(회고)형 : 기억하는 것에 대한 대답을 필요로 함.
ⓐ 수렴(집중)형 : 과거에 경험했던 내용의 분석 및 통합을 필요로 함.
ⓐ 확산(분)형 : 과거에 경험하지 못한 내용의 분석 및 통합을 필요로 함.
ⓐ 가치형 : 사실적인 것보다 가치적인 문제를 다룸.
취사 선택, 태도, 의견 등의 표현을 필요로 함.

▨ 질문 시 유의사항

ⓐ 명확해야 한다.
ⓐ 하나의 대답만 유도한다.
ⓐ 중요한 순서에 따라 제시한다.
ⓐ 학생의 대답을 반복하지 않는다.
ⓐ 학생에게 질문에 답할 시간을 준다.
ⓐ 질문을 되풀이하지 않는다.
ⓐ 적용이 질문수준과 일치하는가를 확인한다.
ⓐ 학생의 이름을 부르기 전에 질문한다.
ⓐ 좀 더 많은 학생들이 참여할 수 있도록 재차 질문한다.
ⓐ 너무 많은 질문은 지도 시의 지배가 강하다는 것을 의미한다.

▨ 과제 제시의 명료성

교사의 과제 제시는 교사가 의도하는 반응과 학생의 실제반응이 일치할 때 정확하게 이루어졌다고 할 수 있다. 즉 의도된 반응과 실제반응이 일치해야 한다는 것이다. 이를 위해서는 과제 제시가 명료해야 한다. 과제 제시의 명료성은 다음의 지침을 따를 때 향상된다.

- ⓐ 학습자 지향
- ⓐ 논리적으로 계열화된 과제 전달
- ⓐ 개별화된 과제 제시
- ⓐ 난해한 부분의 반복 설명
- ⓐ 학습자의 과거 경험 활용
- ⓐ 이해를 확인하는 질문 활용
- ⓐ 지도자료의 역동적 제시
- ⓐ 좋은(혹은 올바른) 예와 그렇지 않은 예의 비교 제시

▨ 지도내용의 연습 및 교정

☞ 학생들이 연습할 때 교사는 무엇을 해야 하는가?

☞ 과제연습에 따른 교사의 행동을 살펴본다.

☞ 연습 중 교사의 행동을 통해 학습활동 중 교사의 행동을 살펴본다.

☞ 학생들과의 상호작용에 대해 살펴본다.

5 효과적인 관리운영

스포츠지도 행동은 크게 지도행동과 관리행동으로 나눌 수 있다. **지도행동**은 준비운동, 과제의 제시와 연습, 피드백 제공, 평가 등과 같이 수업지도와 직접적으로 관련이 있는 행동이다.

그에 반해서 **관리행동**은 집합시키기, 출석확인, 줄 세우기, 학습 참관 학생의 처리, 상규적 활동의 처리 등과 같이 수업내용과는 관련이 없지만 수업을 하려면 반드시 필요한 행동이다. 그러므로 관리행동을 신속하고 정확하게 처리하면 할수록 지도행동에 할애할 수 있는 시간이 늘어난다.

▶ 효과적인 지도를 위한 관리전략

상규적 활동관리	수업시작, 출석점검, 화장실 또는 물 마시러 가기와 같이 수업시간에 반복적으로 일어나는 일상적인 활동을 말한다. 상규적 활동이 일어날 때마다 매번 가르칠 필요는 없고 루틴으로 만들어주면 좋다.
예방적 수업 운영	직접적으로 학습지도를 하지는 않지만 수업 자체를 관리하는 것이다. 효율적으로 수업을 운영하려면 수업시간의 엄수, 출석점검 시간의 절약, 주의집중 신호의 반복적인 연습, 격려와 주의 환기 등의 기술을 구사해야 한다.
수업흐름의 관리	교사나 지도자가 지나치게 간섭하여서 학습자들의 학습활동을 중단시키는 일이 없어야 한다.
학습자 관리	학습자들이 수업에 방해가 되거나 부적절한 행동을 하지 않게 하는 것이다.

6 스포츠지도를 위한 교수방향

- ⓐ 창의 인성을 지향하는 교수 · 학습
- ⓐ 개인차를 고려한 수준별 교수
- ⓐ 자기 주도적 교수 · 학습환경의 조성
- ⓐ 통합적 교수 · 학습 운영

▨ 학습과제(지도 내용)의 조직방법

☞ 확대과제……발달적 내용분석의 시작단계임. 간단한 학습경험에서 복잡한 과제로 발전시키거나, 쉬운 과제에서 어려운 과제로 발달시키는 것.

☞ 세련과제……운동수행의 질(경험을 잘 수행할 수 있는 것은 무엇인가)에 초점을 둠.

☞ 응용(적용)과제……확대와 세련과제를 통해 습득된 기능을 실제 또는 유사한 상황에 사용할 수 있도록 조직함.

▨ 무스카 모스턴(Muska Mosston)의 수업 스펙트럼

수업에서 내려야 하는 여러 사항들에 대한 결정권을 교사와 학생 중 누가 갖느냐에 따라 다양하게 이루어질 수 있는 수업 진행(과제 연습) 방식을 11가지의 서로 다른 수업 스타일로 정리한 것

▶ 수업 전 · 중 · 후의 의사결정권에 따른 분류

교수학습 유형	목적	핵심
A. 명령형(지시형) (command style)	모든 결정을 교사가 내리며, 짧은 시간 내에 주어진 과제를 정확하게 따라 한다.	» 자극에 대한 즉각적 반응을 보이는 것 » 연습은 정확하고 곧바로 행해질 것 » 주어진 것을 그대로 따라 하는 것
B. 연습형 (과제학습형) (practive style)	학생은 개별적 · 독자적으로 과제를 연습할 시간을, 교사는 학생에게 개별적인 피드백을 제공할 기회를 가진다.	» 학생이 과제를 독자적이고 개별적으로 연습할 시간이 주어지는 것 » 교사가 모든 학생들에게 개별적으로 피드백을 줄 수 있는 시간이 마련 되는 것
C. 교류형 (상호학습형) (reciprocal style)	학생은 짝과 함께 과제를 연습할 수 있으며, 교사가 마련해 준 기준에 비추면서 짝에게 피드백을 제공한다.	» 학생들이 짝을 이루어 과제를 연습하는 것 » 따라서 즉각적인 피드백을 제공받음 » 교사가 마련한 과제수행의 기준을 따르는 것 » 피드백 제공기술과 다른 학생과 어울리는 기술을 배움
D. 자기점검형 (자기점검학습형) (self-check style)	주어진 과제 수행 방법을 배우면서 그 과정을 스스로 점검할 수 있는 방법을 배운다.	» 학생들이 과제를 개별적이고 독자적으로 수행하는 것 » 교사가 마련해 준 기준을 활용하여 스스로 자신에게 피드백을 제공하는 것
E. 포괄형 (포괄학습) (inclusion style)	자신이 할 수 있는 수준의 과제를 스스로 선정하여 자신의 학습 과정을 점검할 수 있는 하나의 도전 과제를 만든다.	» 하나의 과제가 서로 다른 수준의 난이도를 가진 여러 형태로 제공되는 것 » 학생들이 스스로 자신에게 맞는 처음 수준을 결정하고, 언제 다음 수준으로 옮겨갈 것인지를 결정하는 것
F. 유도발견형 (질문식 학습) (guided discovery style)	학생들이 교사가 묻는 일련의 질문들에 대답하면서 한 가지 개념적 아이디어를 발견한다.	» 교사가 미리 만들어 놓은 연차적 질문을 하면 학생이 몰랐던(그러나 사전에 교사가 답을 정해 놓은) 개념을 스스로 알아낼 수 있도록 체계적으로 이끄는 것
G. 수렴발견형 (convergent discovery style) ※문제해결형	주어진 문제에 대한 해결점을 스스로 찾아내고, 쟁점이 무엇인지 명확히 한 후, 추론과 비판적 사고 등 논리적 절차를 거쳐 결론을 이끌어낸다.	» 교사는 문제를 제공하고 주어진 과제(질문)는 하나의 정답만이 요청되는 것 » 학생들은 합리적 사고 과정을 통해 그 한가지 정답을 찾아내는 것
H. 확산생산형 (감환과정) (disvergent production style)	하나의 질문에 대한 여러 가지 반응과 해답(확산적 생산과정, 창조과정, 다양한 과제 접근과정, 해결)을 찾는다.	» 한 가지 문제에 대하여 다양한 (확산된) 반응들 찾기 » 과제 자체가 여러 가지의 해답을 요구하는 것 » 감환과정(교사의 준거에 따라 실행 가능성 · 바람직한 해결책을 찾는 과정. PFD : possible-feasible-desirable)을 통한 문제해결 과정 » 교사는 주제와 문제결정, 자료과제 준비, 감환과정에 필요한 준거 제시, 중립적 피드백 제공 등을 한다.
I. 자기설계형 (learner's design style)	교사와 상의하여 학생 각자가 자신에게 적합한 일련의 과제들을 계획하고 실행한다.	» 학생이 일련의 과제들을 스스로 만들고 실행해서 개별화된 프로그램으로 만드는 것 » 학생 자신이 주제를 정하고, 과제를 만들고, 자료를 모으고, 해답을 찾고, 각종 정보를 다루는 것 » 교사는 포괄적이고 전체적인 차원에서 영역을 선정함.
J. 자기주도형 (learner-Initiate style)	학생이 전체 학습 과정을 시작해 나가길 제안하고, 그 과정을 설계하고, 실행하고, 평가한다. 이 때 합의로 결정한 기준과 원칙에 비추어 교사와 함께 해 나간다.	» 학생이 스스로 학습 과정의 방식을 결정하는 것 » 스펙트럼 위의 어떤 수업스타일을 스스로 결정할 수 있는 것 » 학생은 각 스펙트럼의 특징과 효과에 대해서 정확히 알고 있을 것

K. 자기학습형 (self-teachin style)	교사의 관여 없이 학생이 모든 결정을 스스로 내린다. 학교에서는 거의 사용되지 않는다. 취미나 여가 활동을 계획할 때 주로 활용된다.	» 학생이 스스로 학습과정을 결정하여 시작→설계→실행→평가하는 것 » 교사의 관여를 얼마나 허용할 것인가를 스스로 결정함. » 교사는 학생의 결정사항들을 받아들이고 학생의 계획이 실행되기 위한 제반 여건을 만들어준다.

출처 : 박재현(2011). 전공체육 교과교육학. 대경북스.

▨ 스포츠지도의 교수기법

☞ 신호간섭 : 시선 마주치기, 손 움직이기 등과 같은 부주의한 행동을 제지시키는 교사의 행동

☞ 접근통제 : 교사가 수업진행을 방해하는 학생에게 접근하거나 접촉하는 행동

☞ 삭제훈련 : 교사가 학생이 부정적인 행동을 하지 않을 때 칭찬을 하거나 보상을 하여 부정적인 행동을 삭제하는 행동

☞ 보상손실 : 연습시간에 계속 지각하는 학생에게 경기출전권을 제한함으로써 즐겨하는 잘못된 행동을 못하게 하는 행동

▨ 교수기능 연습

☞ 1인연습 : 혼자서 기기를 사용하여 자기 분석

☞ 동료교수 : 스터디그룹처럼 동료가 조언

☞ 축소수업 : 세심한 부분(표정, 자세 등)까지도 가능. 제한된 범주 내에서 소수의 학생들을 대상으로 함

☞ 반성적 교수 : 정확한 평가

☞ 현장의 소집단 교수 : 실제로 학습생을 대상으로 함

☞ 현장의 대집단/단시간 교수 : 시간을 단축하여 전체 학생을 대상으로 하는 연습

▨ 예방적 수업운영 행동

☞ 상황 이해 : 교사가 학생들이 무엇을 하고 있는지 항상 알고 있다는 사실을 학생들에게 전달하는 것. 즉 교사가 자신의 머리 뒤에도 눈이 있다는 것을 학생들에게 알려 학생들이 수업이탈 행동을 방지하는 것

☞ 동시적 처리 : 수업흐름을 유지함과 동시에 수업이탈 행동을 하는 학생들을 제지하는 것

☞ 유연한 수업전개 : 수업활동의 흐름이 중단되지 않도록 부드럽게 유도하는 것

☞ 여세유지 : 교사가 수업진행을 늦추거나 학생의 학습활동을 중단시키지 않고 계속해서 활력 있는 수업을 전개해나가는 것

☞ 집단경각 : 교사가 모든 학생들을 과제에 몰두하도록 지도하는 것

☞ 학생의 책무성 : 교사가 학생에게 수업 중 과제수행에 대한 책임감을 부여하는 것

출처 : 이정우 외(2006). 체육과교육론. 대경북스.

▶ 피드백의 종류

차원	종류	설 명
피드백의 제공자 (정보 제공원)	내재적 과제	» 학생 스스로 수행한 운동기능을 관찰하여 얻은 피드백. 성공 아니면 실패에 대한 운동수행 피드백 제공.
	외재적(보강적) 과제	» 다른 사람이나 대리자에 의해 운동수행 정보가 제공됨. 완성된 기술 시도에 따른 운동수행의 결과, 동작, 기술, 노력 또는 질을 포함함.
피드백의 일치도 (핵심 학습과제와의 일치 정도)	일치도	» 특정한 학습단서와 관련된 피드백 제공
	불일치도	» 특정한 학습단서와 관련 없는 피드백 제공
피드백의 내용 (피드백의 핵심 정보와의 관련성)	일반적 피드백	» 피드백 정보가 운동기능과 관련이 없음. 운동기능의 수행 결과에 대한 만족이나 불만족과 같은 일반적인 사항만 언급함.
	구체적 피드백	» 피드백 정보가 수행된 운동기능과 관련이 있음. 구체적인 피드백은 학습자에게 매우 유용한 정보를 제공하며, 대부분의 상황에서 일반적인 피드백보다 낫다고 봄.
피드백의 정확성	정확한 피드백	» 수행하는 운동정보가 운동기능을 정확하게 설명함.
	부정확한 피드백	» 수행하는 운동정보가 운동기능을 부정확하게 설명함.
피드백의 시기 (운동수행 종료부터 피드백 정보가 전달 될 때까지 걸린 시기)	즉각적 피드백	» 운동수행이 끝난 직후 바로 학생에게 피드백이 제공되거나 최소한 다음 운동기능을 실시하기 전에 제공되는 피드백.
	지연 피드백	» 운동수행이 끝난 직후에 제공되지 않고, 몇 번의 횟수가 진행된 후에 제공되는 피드백.
피드백의 양식	언어 피드백	» 말로 제공하는 피드백
	비언어 피드백	» 몸짓으로 제공하는 피드백
	언어와 비언어를 결합한 피드백	» 언어와 비언어인 몸짓을 결합하여 제공하는 피드백
피드백의 평가 (운동수행 결과의 만족 또는 불만족)	긍적적 피드백	» 운동수행 결과에 만족함.
	부정적 피드백	» 운동수행 결과에 만족하지 못함.
	중립적 피드백	» 제공하는 피드백이 만족인지 불만족인지가 불분명함.
교정적 특성 (실수 교정 방법에 관한 정보)	비교정적 피드백	» 교정에 관한 정보는 제공하지 않고, 잘못된 부분만 정보를 제공하는 피드백.
	교정적 피드백	» 다음 운동수행을 개선할 수 있는 방법에 관한 정보(단서)와 함께 피드백을 제공함.
피드백의 방향성 (패드백 제공 대상)	개별적 피드백	» 학생 각자에게 제공되는 피드백
	집단적 피드백	» 수업 시에 구분한 집단에게 제공되는 피드백
	전원 피드백	» 수업에 참여한 모두에게 제공되는 피드백

필수 및 심화 문제

필수문제

01 다음은 여러 가지 교육모형의 주제들이다. 스포츠교육모형의 주제는?

① 수업진도는 가능한 빨리, 필요한 만큼 천천히 학생이 결정한다.
② 서로를 위해 함께 배우기
③ 유능하고, 박식하며, 열정적인 스포츠인으로 성장하기
④ 나는 너를 가르치고, 너는 나를 가르친다.

■ ①은 개별화지도모형, ②는 협동학습모형, ③은 스포츠교육모형, ④는 동료교수모형의 주제이다.

심화문제

02 스포츠교육의 교수 스타일을 설명한 것이다. 잘못 설명한 것은?

① 상호작용 교수 : 지도자가 학습자에게 연습해야 할 것을 가르쳐주고 시범을 보이면 학생들은 연습을 하고, 지도자는 연습을 지도하는 것이다.
② 과제 교수(스테이션 교수) : 교사가 여러 개의 과제 또는 여러 수준의 과제를 제시하면, 학생들은 자기 수준에 맞는 과제를 선택해서 수행한다.
③ 동료 교수 : 잘 하는 학생과 못 하는 학생을 섞어서 조를 짜고, 교사가 정한 학습 내용을 잘 하는 학생이 (동료)교사가 되어서 자기 조의 수업을 진행한다.
④ 유도발견 학습(문제해결 학습) : 교사의 질문과 학생들의 대답에 의해서 수업이 진행된다.
⑤ 학습자설계 교수(자기설계 교수) : 학습할 내용을 교사가 대략적으로 정해서 알려주면 학생들이 무엇을 어떻게 연습할지 결정해서 수업이 진행된다.
⑥ 팀티칭(집단 교수) : 여러 교사가 번갈아가면서 한 학급의 수업을 지도한다.

■ 한 학급의 수업에 2명 이상의 교사가 동시에 들어가는 것이 팀티칭이다.

필수문제

03 보기에서 A 회원이 제안한 내용에 적절한 생활체육 프로그램 유형과 교육 모형(instructional model)이 바르게 묶인 것은?

보기
회 장: 우리 축구 동호회는 너무 기술이 좋은 사람들 위주로만 경기를 하는 것 같습니다. 회원 모두가 즐겁게 참여할 수 있는 방법이 없을까요?
A 회원: 전체 회원을 기능이 비슷한 몇 개 팀으로 나눠서 리그전을 하면 됩니다. 회원과 팀의 공식 기록도 남기고, 시상도 하면 어떨까요? 그리고 팀마다 코치, 심판, 기록원, 해설가 등의 역할을 맡도록 하면 모두가 실력에 상관없이 다양한 활동을 체험하며, 친목도 도모할 수 있을 것 같습니다.

① 축제형, 스포츠교육모형　② 강습회형, 스포츠교육모형
③ 강습회형, 협동학습모형　④ 축제형, 협동학습모형

■ **스포츠교육모형의 6가지 요소**(p. 59) 참조.
■ 스포츠를 통해 학생들에게 교육적·긍정적·지속적인 경험을 제공함으로써 다양한 가치들을 달성하게 하는 교육과정이다.
■ A회원의 제안은 다양한 활동으로 친목을 도모하며, 리그 동안 축제 분위기에서 경기가 진행되도록 하는 **축제형**을 뜻한다.

정답 01 : ③, 02 : ⑥, 03 : ①

필수문제

04 보기에서 설명하는 로젠샤인(B. Rosenshine)의 직접 교수 모형 단계로 적절한 것은?

보기
» 이 단계는 학습자에게 초기 학습과제와 함께 순차적으로 과제연습이 이루어지는 과정이다.
» 지도자는 학습자에게 다음 과제를 제시하기 위해 핵심단서(cue)를 다시 가르치거나 이전 학습과제를 되풀이 할 수 있다.

① 비공식적 평가 ② 새로운 과제제시
③ 피드백 및 교정 ④ 독자적인 연습

■ 직접교수모형을 활용한 6단계 수업(p. 56) 참조.

심화문제

05 다음 중 직접교수 모형의 특징으로 올바르지 않은 것은?

① 지도자의 의사결정을 따르나, 주도적 참여 형태는 학습자이다.
② 학습자는 지도자의 지시에 따르며, 지도자의 질문에 적극적으로 대답한다.
③ 학습자로 하여금 연습과제와 기능연습에 높은 비율로 참여하도록 안내한다.
④ 지도자는 학습자가 연습하는 것을 관찰하고, 학습자에게 교정적 피드백을 제공한다.

■ 직접교수 모형은 모든 것을 교사가 정해서 수업을 하는 것이다.

06 보기의 특성을 갖는 교육 모형의 주제는?

보기
» 적극적 교수(active teaching)로 불리기도 한다.
» 높은 비율의 학습 참여 기회(OTR)를 제공한다.
» 초기 학습 과제의 진도는 교사가, 이후 연습단계의 학습 진도는 학생이 결정한다.

① 수업 진도는 학생이 결정한다.
② 교사가 수업의 리더 역할을 한다.
③ 서로를 위해 함께 배운다.
④ 유능하고 박식하며 열정적인 스포츠인으로 성장한다.

■ 보기는 직접교수모형의 특징이다.
①은 개별화 지도 모형,
②는 직접교수모형,
③은 협동학습모형,
④는 스포츠교육 모형

필수문제

07 보기에서 설명하는 수업 주도성 프로파일의 특성을 나타내는 체육수업 모형은?

보기
» 학습자는 각 과제의 수행 기준에 도달할 책임이 있다.
» 학습자는 많은 피드백과 높은 수준의 언어적 상호작용의 기회를 갖는다.
» 지도자는 내용선정과 과제제시를 주도하고, 학습자는 수업 진도를 결정한다.

① 전술게임 모형 ② 협동학습 모형
③ 개별화지도 모형 ④ 개인적 · 사회적 책임감 지도 모형

■ **전술게임 모형** : 실제 게임과 유사한 학습 활동을 통해서 게임 수행에 필요한 본질적인 전술을 학습하는 것.
■ **협동학습 모형** : 사회에서 업무를 수행하는 방식으로 학습과제를 수행하는 것.
■ **개인적 · 사회적 책임감 지도 모형** : 학생들이 신체 활동을 연습하는 동안 긍정적인 행동을 배우고, 바람직한 의사결정 습관을 발달시킬 수 있는 기회를 제공하는 것.
■ **개별화지도 모형** : 지도자가 미리 계획한 학습과제를 학생 각자가 자기에게 맞는 속도로 배우게 하는 것.

정답 04 : ③, 05 : ①, 06 : ②, 07 : ③

심화문제

08 보기의 교수 전략을 포함하는 체육수업모형은?

보기

» 모든 팀원은 자신의 팀에 할당된 과제를 익힌 후, 교사가 되어 다른 팀에게 자신이 학습한 내용을 지도한다.

» 각 팀원들이 서로 다른 내용을 배운 다음, 동일한 내용을 배운 사람끼리 모여 전문가 집단을 구성한다. 이들은 자신이 배운 내용을 공유하며, 원래 자신의 집단으로 돌아가 배운 것을 다른 팀원들에게 지도한다.

① 직접 교수 모형　　② 개별화 지도 모형

③ 협동학습 모형　　④ 전술게임 모형

■ 7번 문제 참조.

필수문제

09 헬리슨(D. Hellison)이 제시한 개인적·사회적 책임감 수준과 사례가 적절하지 않은 것은?

수준	사례
① 타인의 권리와 감정 존중	타인에 대해 상호 협력적이고 다른 학생들을 돕고자 한다.
② 참여와 노력	새로운 과제에 도전하며 노력하면 성공할 수 있다고 여긴다.
③ 자기 방향 설정	지도자가 없는 상황에서도 자신이 수립한 목표를 달성한다.
④ 일상생활로의 전이	체육 수업을 통해 학습한 배려를 일상생활에 실천한다.

■ ① **타인의 권리와 감정 존중** : 타인을 방해하기 감소, 약간의 자기 통제(p. 62 참조).

심화문제

10 다음 중 Hellison(2003)의 개인적 · 사회적 책임감 모형에서 인성 지도를 위한 책임감 수준이 순서대로 나열된 것은?

① 타인 감정 존중–자기방향 설정–참여와 노력–돌봄과 배려–전이

② 타인 감정 존중–참여와 노력–돌봄과 배려–자기방향 설정–전이

③ 타인 감정 존중–참여와 노력–자기방향 설정–돌봄과 배려–전이

④ 타인 감정 존중–자기방향 설정–돌봄과 배려–참여와 노력–전이

■ 개인적 · 사회적 책임감모형은 교육적 혜택을 받지 못한 불우한 청소년들에게 체육을 통해서 책임감을 교육시킬 목적으로 개발된 모형이다. 이 모형에서는 청소년의 책임감 수준을 무책임(0단계)에서 전이(5단계)까지 6가지 등급으로 나눈다. 참여해서 방향을 설정한다고 생각하면 정답을 알 수 있다(p. 62 참조).

정답　08 : ③, 09 : ①, 10 : ③

11 **개인적 · 사회적 책임감 지도 모형에서 보기의 밑줄 친 내용에 해당하는 책임감 발달의 수준은?**

> 보기
> 동민이는 축구 클럽 활동 초기에는 연습에 관심이 없었고, 친구들의 연습을 방해하기도 했다. 그러나 박 코치의 지속적인 관심과 지도로 점차 연습에 열심히 참여했고, <u>코치가 자리를 비운 상황에서도 스스로 목표를 세우고 과제를 완수할 수 있게 되었다</u>.

① 1단계-타인의 권리와 감정 존중 ② 2단계-참여와 노력
③ 3단계-자기 방향 설정 ④ 4단계-돌봄과 배려

■ 개인적 · 사회적 책임감 모형(p. 62) 참조.

12 **헬리슨(D. Hellison)의 개인적 · 사회적 책임감 모형 중 전이단계(transfer level)에 해당하는 것은?**

① 다른 사람을 방해하지 않고 체육 프로그램에 참여하기
② 체육 프로그램에서 학습한 배려를 일상생활에서 실천하기
③ 체육 프로그램에서 타인의 요구와 감정을 인정하고 경청하기
④ 자기 목표를 설정하고 지도자의 통제 없이 체육 프로그램 과제를 완수하기

■ 개인적 · 사회적 책임감 모형(p. 62) 참조.

필수문제

13 **개별화지도 모형에 대한 설명으로 옳은 것은?**

① 학생의 학습과제는 사전에 계열화되지 않는다.
② 학습진도가 빠른 학생은 지도자의 동의 없이 진도를 나갈 수 있다.
③ 학습영역의 우선순위는 인지적, 심동적, 정의적 영역의 순이다.
④ 지도자는 운영과제 전달 시 미디어 사용을 자제하고, 학습과제 정보전달 시간을 늘린다.

■ 수업진도를 학생이 정하는 것이 개별화지도 모형이다(p. 57 참조).

필수문제

14 **보기에서 설명하는 슬라빈(R. Slavin)의 협동학습모형의 개념은?**

> 보기
> 모든 팀원의 수행이 팀 점수 또는 평가에 포함되기 때문에 모든 학습자는 팀의 과제 수행을 위해 노력해야 한다.

① 평등한 기회 제공 ② 팀 보상
③ 개인 책무성 ④ 팀워크

■ 협동학습모형은 팀 보상, 학습 성공에 대한 평등한 기회 제공, 개인 책무성의 세 가지 개념에 기초하는데, 보기는 개인 책무성에 대한 설명이다(p. 57 참조).

정답 11 : ③, 12 : ②, 13 : ②, 14 : ③

필수문제

15 보기에서 설명하는 협동학습 모형의 교수 전략은?

보기

» 지도자는 학습자를 몇 개 팀으로 나누고, 각 팀마다 학습 과제를 분배한다(테니스의 경우, A팀은 포핸드 스트로크, B팀은 백핸드 스트로크, C팀은 발리, D팀은 서비스).

» 각 팀의 모든 팀원들은 팀에 할당된 과제를 익힌 후, 다른 팀에게 해당 과제를 가르친다.

① 학생 팀-성취 배분(STAD) ② 직소(Jigsaw)
③ 팀 게임 토너먼트(TGT) ④ 팀-보조 수업(TAI)

■ p. 57의 '직소학습 모형' 참조

필수문제

16 보기는 박 코치의 수업 일지 내용이다. ㉠, ㉡에 해당하는 용어가 바르게 연결된 것은?

보기

골프 수업에 참여한 학습자들이 골프 규칙을 비롯해, 골프와 유사한 스포츠의 개념적 특징을 비교 · 분석할 수 있도록 (㉠) 목표를 제시하였다. … (중략) … 또한 각 팀의 1등은 다른 팀의 1등끼리, 2등은 다른 팀의 2등끼리 점수를 비교하여 같은 등수에서 높은 점수를 얻은 학습자에게 정해진 상점을 부여했다. 이와 같이 협동학습 모형의 과제구조 중 (㉡)전략을 사용하였다.

	㉠	㉡
①	정의적	직소(Jigsaw)
②	정의적	팀 - 보조 수업(Team - Assisted Instruction)
③	인지적	팀 게임 토너먼트(Team Games Tournament)
④	인지적	학생 팀 - 성취 배분(Student Teams - Achievement Division)

■ **협동학습모형의 우선 순위**
· 인지적 학습에 주어진 과제가 초점이 있을 때
1순위-정의적 · 인지적 학습
2순위-심동적 학습
· 심동적 학습에 주어진 과제가 논점이 있을 때
1순위-정의적 · 인지적 학습
2순위-인지적 학습
■ 협동 학습 모형의 교수 전략 → p. 57 참조.

심화문제

17 협동학습 모형이 추구하는 지도목표가 아닌 것은?

① 긍정적인 팀 관계 격려
② 상호작용을 기반으로 개인의 책임감 증진
③ 팀 내 개인 간 경쟁 도모
④ 자아존중감 개발

■ 개인 간에 경쟁을 하면 협동학습이 잘 될까?

정답 15 : ②, 16 : ③, 17 : ③

필수문제

18 **시덴탑(D. Siedentop)이 제시한 스포츠교육 모형의 6가지 핵심적인 특성에 해당하지 않는 것은?**

① 축제화(festivity)
② 팀 소속(affiliation)
③ 유도연습(guided practice)
④ 공식경기(formal competition)

■ 스포츠교육 모형의 6가지 요소(D. Siedentop)
· **시즌** : 전통적인 내용 단원보다 시즌이라는 개념을 이용한 체육수업
· **팀 소속** : 학생은 시즌 동안 한 팀의 멤버가 되어 시즌 종료 시까지 공동목표를 달성하기 위해 노력함.
· **공식 경기** : 시즌의 조직과 운영에 관련된 의사결정 참여
· **결승전** : 결승전은 축제같은 분위기 속에서 치뤄져야 함.
· **기록 보존** : 경기수행 과정에서 양산된 기록의 효율적인 사용
· **축제화** : 스포츠 이벤트는 축제 분위기를 조성

심화문제

19 **참여자들이 스포츠에서 다양한 역할을 경험하여 '유능하고 박식하며 열정적인 스포츠인'으로 성장하는 데에 목적을 두고 있는 체육수업 모형은?**

① 직접교수 모형　　② 스포츠교육 모형
③ 개별화지도 모형　　④ 전술게임 모형

■ 스포츠교육 모형(p. 58) 참조

20 **보기의 내용 중 스포츠교육 모형의 6가지 요소에 해당하는 것으로만 묶인 것은?**

보기
㉠ 시즌　　㉡ 결승전 행사　　㉢ 기록 보존
㉣ 팀 소속　　㉤ 학생-팀 성취 배분　　㉥ 과제포스터

① ㉠, ㉡, ㉤　　② ㉠, ㉢, ㉣　　③ ㉡, ㉢, ㉥　　④ ㉡, ㉤, ㉥

■ 스포츠교육 모형의 6가지 요소는 시즌, 팀 소속, 공식 경기, 결승전, 기록 보존, 축제화이다.

필수문제

21 **보기에서 설명한 시든탑(D. Siedentop)의 교수(teaching) 기능 연습법에 해당하는 용어로 적절한 것은?**

보기
» 박 코치는 소수의 실제 학습자들 앞에서 지도 연습을 했다.
» 자신의 지도 행동을 관찰하기 위해 비디오 촬영을 병행했다.

① 축소 수업(micro teaching)　　② 1인 연습(self practice)
③ 동료 교수(peer teaching)　　④ 반성적 교수(reflective teaching)

■ 교수기능 연습(p. 68) 참조.

정답 18 : ③, 19 : ②, 20 : ②, 21 : ①

■ **스테이션 티칭이란**
- 학습자들이 서로 다른 과제를 동시에 익히도록 하는 데에 효과적인 학습전략이다.
- 학습자들이 이미 배운 것을 실행하거나 평가할 때 적절한 학습전략이다.
- 기구가 부족한 학습상황에서 사용하기 좋다.
- 여러 스테이션에서 동시에 여러 가지 수업이 진행되기 때문에 지도자가 모두 관찰하는 것은 거의 불가능하다.

■ **링크(J. Rink) : 학습과제의 계열화(단계화)**
- **시작형 과제** : 가장 기초적인 수준의 학습과제
- **확장(확대)형 과제** : 간단하고 쉬운 과제에서 복잡하고 어려운 과제로 발전시킴.
- **세련형 과제** : 학습자의 관심을 운동수행의 질을 향상시키는 데 집중.
- **적용(응용)형 과제** : 학습한 기능의 실제 활용 또는 응용 기회 제공

필수문제

22 스테이션 티칭의 특징으로 적절하지 않은 것은?

① 과제 교수라고도 한다.
② 교수-학습과정에 대한 지도자의 영향력을 극대화할 수 있다.
③ 기구가 부족한 수업상황에서 사용할 수 있다.
④ 지도자의 관점에서 볼 때 학생들 관찰이 다소 어렵다.

필수문제

23 아래의 보기 중에서 괄호 안에 들어갈 말을 적합하게 짝지어 놓은 것은?

보기
» (　　) 과제는 난이도와 복잡성이 덧붙여진 형태의 과제이고,
» (　　) 과제는 폼이나 느낌과 같이 운동기능의 질적인 측면에 초점이 맞추어진 과제이다.

① 세련형 – 적용형　　② 세련형 – 확장형
③ 적용형 – 세련형　　④ 확장형 – 세련형

심화문제

24 보기에 해당하는 링크(J. Rink)의 내용 발달 과제는?

보기
» 과제의 난이도와 복잡성에 따른 점진적 발달에 관심을 갖는다.
» 복잡한 기술을 가르치기 전에 기능을 세분화한다.

① 세련과제　　② 정보(시작)과제
③ 적용(평가)과제　　④ 확대(확장)과제

25 링크(J. Rink)의 내용발달 단계가 순서대로 연결된 것은?

① 시작과제 - 확대과제 - 세련과제 - 적용과제
② 적용과제 - 시작과제 - 확대과제 - 세련과제
③ 세련과제 - 적용과제 - 시작과제 - 확대과제
④ 확대과제 - 세련과제 - 적용과제 - 시작과제

정답　22 : ②, 23 : ④, 24 : ④, 25 : ①

26 학습과제의 발달적 내용분석을 위한 세 가지 순서는?

① 확대 – 세련 – 적용(응용)
② 확대 – 적용(응용) – 세련
③ 적용(응용) – 확대 – 세련
④ 세련 – 확대 – 적용(응용)

27 링크(J. Rink.)의 내용 발달(content development)에 대한 설명으로 적절하지 않은 것은?

① 응용 과제는 실제 게임에 적용할 수 있는 기회를 제공한다.
② 확대 과제는 쉬운 과제에서 어렵고 복잡한 과제로 발전시킨다.
③ 세련 과제는 학습자에게 가능한 한 많은 동작을 알려주는 형태로 개발한다.
④ 시작(제시, 전달) 과제는 기초적인 수준에서 학습하도록 소개하고 안내한다.

■ 세련 과제는 양보다는 질적인 측면에 초점이 맞추어진 과제이다.

필수문제

28 ㉠, ㉡에 해당하는 용어가 바르게 연결된 것은?

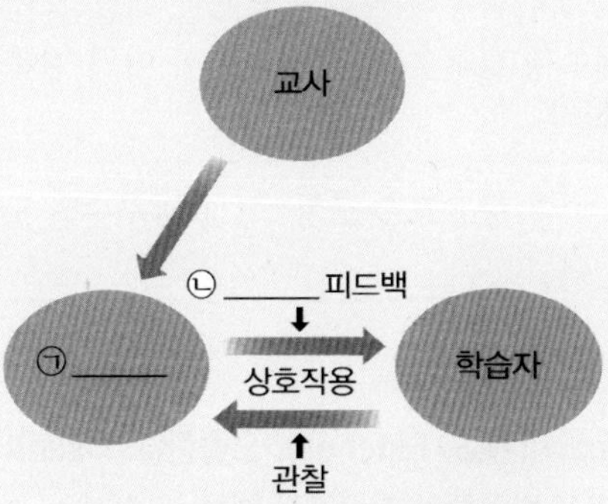

동료교수 모형의 수업방식

	㉠	㉡		㉠	㉡
①	관찰자	교정적	②	개인교사	중립적
③	개인교사	교정적	④	교사	가치적

■ **동료교수 모형의 주제** : 나는 너를 가르치고, 너는 나를 가르친다.
■ **개인교사와 학습자의 역할** : 학생이 개인교사 역할과 학습자 역할을 번갈아가며 한다.
■ **학습자의 관찰과 교정적 피드백** : 개인교사는 교사가 제공하는 과제 제시와 과제 구조에 근거해서 학습자의 역할을 관찰하며, 학습단서와 교정적 피드백을 제시한다.

심화문제

29 동료교수 모형에 관한 설명으로 옳은 것은?

① 개인교사는 교사에게 역할 수행을 위한 훈련을 받지 않는다.
② 교사는 개인교사, 학습자 모두와 상호작용을 한다.
③ 학생은 개인교사 역할과 학습자 역할을 번갈아가며 경험한다.
④ 학습 활동의 직접적인 참여 기회가 증가한다.

■ 동료교수 모형의 주제가 "나는 너를 가르치고, 너는 나를 가르친다."이다.

정답 26 : ①, 27 : ③, 28 : ③, 29 : ③

■탐구수업 모형에서 가장 중요시하는 학습 영역은 **인지적 영역, 심동적 영역, 정의적 영역** 순이다. 많은 교사들이 인지적 영역 다음으로 정의적 영역(자기 인식, 탐구력, 창의성, 자긍심 등) 학습에 관심을 가진다. 그러나 이 모형은 학습 영역 간 상호작용이 활발하게 발생한다.

필수문제

30 탐구수업 모형에서 학습 영역의 우선 순위를 순서대로 바르게 연결한 것은?

① 인지적 영역→심동적 영역→정의적 영역
② 인지적 영역→정의적 영역→심동적 영역
③ 심동적 영역→인지적 영역→정의적 영역
④ 심동적 영역→정의적 영역→인지적 영역

■탐구수업 모형의 주제는 '문제 해결자로서의 학습자'이다.

심화문제

31 문제해결 중심의 지도에 활용할 수 있는 체육수업 모형이나 방식으로 적절한 것은?

① 적극적 교수 ② 직접교수 모형
③ 탐구수업 모형 ④ 상호학습형 스타일

32 다음 설명에 맞는 수업모형은?

보기
1. 학습자 스스로 학습활동에 관련된 문제를 해결한다.
2. 지도자는 과제수행 방법을 설명과 시범이 아닌 질문을 통해 학습자들이 스스로 찾도록 한다.

① 전술게임 모형 ② 동료교수 모형 ③ 탐구수업 모형 ④ 협동학습 모형

■탐구수업 모형(p. 60) 참조

■그리핀, 미첼, 오슬린은 이해중심게임 모형에서 "모의활동(또는 게임의 변형)은 정식게임을 대표할 수 있어야 하며(**대표성**), 전술기능 개발에 초점을 둘 수 있도록 상황이 과장되어야 한다(**과장성**)."라고 하였다(유정애 외. 체육수업 모형. p.513 참조).

필수문제

33 그리핀(L. Griffin), 미첼(S. Mitchell), 오슬린(J. Oslin)의 이해중심게임 모형에서 변형게임 구성 시 반영해야 할 2가지 핵심 개념은?

① 전술과 난이도 ② 연계성과 위계성
③ 공간의 특성과 학습자 ④ 대표성과 과장성

필수문제

34 이해중심 게임수업 모형의 단계 중 괄호 안에 들어갈 용어는?

게임 소개 → 게임 이해 → (　　　) → 의사 결정 → 기술 연습 → 실제게임 수행

① 변형 게임 ② 전술 인지 ③ 초기 게임 ④ 스크리미지

■교육 모형의 이름은 '전술게임 모형'이고, 주제가 '이해중심의 게임 지도'이다.
자세한 내용은 p. 61에 설명되어 있다.

정답 30 : ①, 31 : ③, 32 : ③, 33 : ④, 34 : ②

필수문제

35 보기에서 설명하는 알몬드(L. Almond)의 게임 유형은?

보기
» 야구, 티볼, 크리켓, 소프트볼 등 팀 구성원 모두가 공격과 수비에 번갈아 참여한다.
» 개인의 역할 수행이 경기에 중요한 영향을 미치므로, 자신의 역할에 대한 이해와 책임감이 강조된다.

① 영역(침범)형 ② 네트형 ③ 필드형 ④ 표적형

■ 영역형(침범형) : 축구, 럭비 등
■ 네트형 : 탁구, 배드민턴, 테니스 등
■ 필드형 : 야구, 소프트볼, 티볼 등
■ 표적형 : 사격, 양궁 등
■ 벽면형 : 스쿼시 등
■ 알몬드의 게임 분류(p. 61) 참조

심화문제

36 보기에 해당하는 게임 유형은?

보기
농구, 하키, 축구, 넷볼, 핸드볼, 럭비

① 영역(침범)형 ② 필드형 ③ 표적형 ④ 네트형

■ 넷볼(Netball): 농구와 비슷하게 링에 볼을 넣으면 득점한다. 드리블없이 패스로만 경기가 진행된다.

37 보기와 같이 종목을 구분하는 근거로 적합한 것은?

보기
» 영역형:농구, 축구, 하키, 풋볼
» 네트형:배드민턴, 배구, 탁구
» 필드형:야구, 소프트볼, 킥볼
» 표적형:당구, 볼링, 골프

① 포지션의 수 ② 게임전술의 전이 가능성
③ 기술(skill)의 특성 ④ 선수의 수

■ p. 61 참조.

필수문제

38 보기에서 안전한 학습환경 유지에 관한 설명으로 옳은 것만을 모두 고른 것은?

보기
㉠ 위험한 상황이 예측되더라도 시작한 과제는 끝까지 수행한다.
㉡ 안전한 수업운영에 필요한 절차를 분명히 전달하고 상기시켜야 한다.
㉢ 사전에 안전 문제를 예측하고 교구 · 공간 · 학생 등을 학습에 도움이 되는 방향으로 배열 또는 배치한다.
㉣ 새로운 연습과제나 게임을 시작할 때 지도자는 학생들의 활동을 주시하고 적극적으로 감독한다.

① ㉠, ㉡ ② ㉡, ㉢ ③ ㉠, ㉢, ㉣ ④ ㉡, ㉢, ㉣

■ **안전한 학습 환경 유지 방법**
· 활동 전에 시설 · 기구의 사용법, 함께 운동하는 방법, 운동영역 등을 안전하게 배열 또는 배치한다㉢.
· 안전한 수업 운영을 위한 안전규칙을 전달한다㉡.
· 안전규칙을 준수하면 보상하고, 위반하면 벌을 주는 일관된 행동수정기법을 적용한다.
· 새로운 연습과제나 게임을 시작할 때는 지도자가 학습자를 지속적으로 감독한다㉣.
· 학습자끼리 조를 편성하여 서로의 안전을 지켜보게 한다.

정답 35 : ③, 36 : ①, 37 : ②, 38 : ④

심화문제

39 다음 중 안전한 학습환경 조성과 학습분위기 유지를 위한 교수기법으로 적절하지 않은 것은?

① 수업 시작과 끝맺음을 위한 신호를 활용한다.
② 규칙과 절차를 인지시키고 지속적으로 강조한다.
③ 기대 행동과 수행 기준을 반복적으로 명시한다.
④ 적합한 행동은 간과하더라도 부적합한 행동에는 즉시 개입한다.

■ 교사가 중간에 개입하면 수업 분위기가 바뀐다.

40 체육 활동의 학습자 관리 기술로 적절하지 않은 것은?

① 학습자 행동을 단계적으로 변화시킨다.
② 수반되는 행동 수정의 결과를 명시한다.
③ 다른 학습자에게 방해되지 않아도 부적절한 행동을 즉시 제지한다.
④ 학습자의 적절한 행동을 위한 대용보상체계를 마련한다.

■ 학생의 부적절한 행동이 수업에 특별히 방해가 되지 않는 한 그들의 행동을 무시하고 적절한 행동을 유도하기 위하여 긍정적으로 상호작용한다.

필수문제

41 하나로수업 모형에서 보기의 내용이 의미하는 학습 활동은?

보기
» 스포츠의 심법적 차원(전통, 안목, 정신)을 가르친다.
» 스포츠를 잘 알 수 있도록 한다.
» 스포츠 문화에로의 입문을 도와준다.

① 기능 체험 ② 예술 체험 ③ 직접 체험 ④ 간접 체험

■ 직접체험 활동을 통해서 스포츠기능을 향상시키고, 간접체험을 통해서 스포츠문화를 알게 한다는 모형이다.

필수문제

42 보기는 학습자가 연습하는 동안에 스포츠지도사가 취한 행동을 나열한 것이다. 직접기여 행동만을 고른 것은?

보기
㉠ 부상당한 학습자를 의무실로 보냈다.
㉡ 학습자의 일부가 시합하는 데 심판을 보았다.
㉢ 학습자의 연습을 주의 깊게 관찰하였다.
㉣ 안전하게 연습할 수 있도록 용구와 학습 공간을 정리하고 학습자들에게 주의시켰다.

① 모두 ② ㉠, ㉢, ㉣ ③ ㉡, ㉢, ㉣ ④ ㉢, ㉣

■ ㉠은 간접기여행동, ㉡은 비기여행동, ㉢과 ㉣은 직접기여행동이다(p. 64 참조).

정답 39 : ④, 40 : ③, 41 : ④, 42 : ④

심화문제

43 **체육지도자의 수업 중 간접기여행동의 예로 옳은 것은?**

① 부상 학생의 처리　② 학부모와의 면담
③ 동작 설명과 시범　④ 학생 관찰 및 피드백

■ ②는 비기여행동, ③과 ④는 직접적인 기여행동이다.

44 **체육활동에서 안전한 학습환경 유지에 관한 설명으로 적절하지 않은 것은?**

① 활동 전에 안전 문제를 예측하고 교구를 배치한다.
② 위험한 상황이 예측되더라도 시작한 과제는 끝까지 수행한다.
③ 안전한 수업운영에 필요한 절차를 학습자들에게 명확히 전달한다.
④ 새로운 연습과제나 게임을 시작할 때 지도자는 지속적으로 학습자를 감독한다.

■ 체육활동에서 안전한 학습환경을 유지하려면 위험한 상황이 예측될 때는 수행을 중지해야 함.

45 **보기 중 각 지도자의 행동 유형과 개념이 바르게 연결되지 않은 것은?**

> 보기
> 박 코치 : 지도하는 데 갑자기 학습자의 보호자가 찾아오셔서 대화하느라 지도 시간이 부족했어요.
> 김 코치 : 말도 마세요! 저는 지도하다가 학습자들끼리 부딪혔는데 한 학습자가 쓰러져 일어나지 못했어요! 정말 놀라서 급하게 119에 신고했던 기억이 나네요.
> 한 코치 : 지도 중에 좁은 공간에서 기구를 잘못 사용하는 학습자를 보면 곧바로 운동을 중지하고, 안전의 중요성을 강조하면서 공간과 기구를 정리하라고 말했어요.
> 이 코치 : 저는 학습자의 참여를 높이기 위해 신호에 따른 즉각적인 과제 수행을 강조했어요. 그 결과, 개별적인 피드백을 제공할 수 있게 되었고, 학습자의 성취도가 점점 향상되는 것 같았어요.

① 박 코치 – 비기여 행동　② 김 코치 – 비기여 행동
③ 한 코치 – 직접기여 행동　④ 이 코치 – 직접기여 행동

■ **직접기여 행동** : 지도자의 행동이 학생들의 학습에 직접적인 영향을 미치는 행동
■ **간접기여 행동** : 수업과는 관계가 있지만 수업내용 자체에는 기여하지 않는 행동
■ **비기여 행동** : 수업에 전혀 도움이 되지 않는 행동
②번은 간접기여 행동이다(김 코치).

필수문제

46 **성공적인 스포츠 수업의 특징이 아닌 것은?**

① 학습내용과 관련된 활동시간이 짧다.
② 학습자가 과제에 참여할 수 있는 기회가 많다.
③ 학습내용이 학습자의 발달과정에 적절하다.
④ 따뜻하고 긍정적인 학습분위기가 유지된다.

■ 성공적인 스포츠수업은 학습내용과 관련된 활동시간이 길어야 한다.

정답　43 : ①, 44 : ②, 45 : ②, 46 : ①

심화문제

47 스포츠 지도 시 주의집중 전략으로 적절하지 않은 것은?

① 주위가 소란할 때는 학습자와 사전에 약속된 신호를 사용하는 것이 필요하다.
② 학습자의 주의가 기구에 집중되면, 기구를 정리한 후 집합하여 설명하는 것이 좋다.
③ 학습자의 주의를 집중하기 위해 가능하면 지도자는 햇빛을 등지고 설명한다.
④ 학습자가 설명을 정확하게 이해하도록 지도자는 학습자 가까이에서 설명하는 것이 좋다.

■ 햇빛을 등지고 설명하면 학생들은 눈이 부셔서 잘 볼 수 없다.

48 스포츠 지도행동을 지도행동과 관리행동으로 나누었을 때 관리행동을 효과적으로 하기 위한 전략이 아닌 것은?

① 상규적 활동관리　　② 예방적 수업운영
③ 수업흐름의 관리　　④ 수업시간의 관리

■ 수업시간의 관리가 아니라 '학습자 관리'이다.

필수문제

49 메츨러(M. Metzler)의 교수·학습 과정안(수업계획안) 작성 시 고려해야 할 구성요소 중 보기의 설명과 관련 있는 것은?

보기
» 학생의 흥미를 유발시킬 수 있는 수업 도입
» 과제 제시에 적합한 모형과 단서 사용
» 학생에게 방향을 제시할 과제 구조 설명
» 다양한 과제의 계열성과 진도(차시별)

① 학습 목표　　② 수업 맥락의 간단한 기술
③ 시간과 공간의 배정　　④ 과제 제시와 과제 구조

■ 교수 · 학습 과정안(지도계획안) 작성요소
■ **지도맥락 기술** : 가르칠 내용, 학습자의 수준, 시간, 장소, 수업차시 등 전반적인 지도맥락 설명
■ **학습목표 제시** : 성취해야 할 기능, 행동, 지식 및 일반적인 목표 등 하나의 수업에 1~3개 정도의 목표 제시
■ **시간과 공간의 배정** : 수업시간 · 수업환경 · 수업관리 방법 등을 고려하여 시간을 설정한 다음 그것을 차시별로 정리
■ **학습활동 목록 작성** : 수행할 학습과제별로 활동목록 작성
■ **과제의 구조 및 과제 제시** : 학습과제의 내용을 제시하고 과제의 구조 설명
■ **학습평가** : 평가의 시기 · 관리 및 절차상의 고려사항 제시
■ **정리 및 종료** : 학습과정을 정리하여 학습내용을 재확인시킨 후에 종료

심화문제

50 메츨러(M. Metzler)의 스포츠 지도를 위한 교수학습 과정안(지도계획안) 작성요소와 방법이 바르게 연결된 것은?

	작성 요소	작성 방법
①	학습목표	학습목표는 추상적으로 작성
②	수업정리	과제의 내용을 구조화하고, 제시 방법을 기술
③	학습평가	평가시기, 평가의 관리 및 절차상의 고려사항을 제시
④	수업맥락	기술 과제의 중요도에 따라 학습활동 목록을 작성

정답 47 : ③, 48 : ④, 49 : ④, 50 : ③

51 교수 · 학습 지도안을 작성할 때 고려해야 할 사항으로 가장 거리가 먼 것은?

① 진행할 학습 과제, 각 과제에 배정한 시간 등을 포함한다.
② 과제 전달 방법 및 과제 수행 조건, 교수 단서 등을 포함한다.
③ 학습 목표는 학습자 특성보다 지도자 중심으로 작성한다.
④ 예상치 못한 상황이 발생했을 때를 대비하여 대안적 계획을 수립한다.

■ 교수 · 학습지도안 작성 시 학습목표는 지도자보다 학습자의 특성에 중점을 두어야 한다.

필수문제

52 보기는 지역 스포츠클럽 강사 K의 코칭 일지의 일부이다. ㉠에 해당하는 스포츠교육의 학습 영역과 ㉡에 해당하는 체육학습 활동이 바르게 묶인 것은?

> 보기
>
> **코칭 일지**
>
> 나는 스포츠클럽에서 배구의 기술뿐만 아니라 ㉠ 역사, 전략, 규칙과 같은 개념과 원리를 참여자들에게 가르쳤다. 배구 게임을 제대로 이해하기 위해서 전술 연습을 진행했다. ㉡ 게임을 진행하는 도중에 '티칭 모멘트'가 발생할 경우, 게임을 멈추고 전략과 전술을 지도하는 수업활동을 적용했다.

① 정의적 영역, 스크리미지(scrimmage)
② 정의적 영역, 리드-업 게임(lead-up games)
③ 인지적 영역, 스크리미지(scrimmage)
④ 인지적 영역, 리드-업 게임(lead-up games)

■ **인지적 영역** : 지식을 획득하고 사용하는 방식과 관련된 정신 능력
■ scrimmage : 실제로 경기를 하는 것처럼 하면서 기술이나 전술 따위를 익히는 것
■ lead-up game : 상대의 기술이나 전술을 향상시켜주기 위해서 하는 게임
■ **정의적 영역** : 사람의 정서와 감정을 바탕으로 형성되는 모든 행동 영역

심화문제

53 보기는 이 코치의 수업을 관찰한 일지의 일부이다. ㉠, ㉡에 알맞은 용어로 바르게 묶인 것은?

> 보기
>
> **관찰일지**
>
> 2019년 5월 7일
>
> 이 코치는 학습자들에게 농구 드리블의 개념과 핵심단서를 가르쳐주고, 시범을 보였다. 설명과 시범이 끝나고 "낮은 자세로 드리블을 5분 동안 연습하세요."라는 과제를 제시하였다. … (중략) … 이 코치는 (㉠)을 활용했고, 과제 참여 시간의 비율이 높은 수업을 운영했다. 수업의 마지막에는 질문식 수업을 활용했다. "키가 큰 상대팀 선수에게 가로막혔을 경우 어떻게 해야 합니까?"라는 (㉡) 질문을 통해 학습자가 다양한 대안을 찾을 수 있도록 했다.

	㉠	㉡		㉠	㉡
①	적극적 수업	확산형	②	과제식 수업	가치형
③	동료 수업	확신형	④	협동 수업	가치형

■ ㉡에 들어갈 수 있는 내용은 확산형과 가치형 둘밖에 없다. 키가 큰 선수를 상대하는 방법은 다양하게 있을 수 있으므로 **확산형**이 정답이다. 그러면 저절로 ㉠에 들어갈 내용은 **적극적 수업**이 될 수밖에 없다.

정답 51 : ③, 52 : ③, 53 : ①

54 다음은 스포츠지도 시 학습자가 지도사에게 주의를 집중하지 못하는 경우에 과제를 제시하는 전략을 설명한 것이다. 옳지 못한 것은?

① 주의를 산만하게 하는 원인을 제거한다.
② 학습자를 지도사 가까이 집합시켜서 설명한다.
③ 과제를 자세하고 구체적으로 설명한다.
④ 학습자와 주의집중 신호를 사전에 약속하고 반복적으로 연습한다.

■ 그렇지 않아도 주의 집중이 잘 안 되는데 자질구레하게 설명하면 짜증만 낸다.

55 보기의 효과적인 과제 제시 방법에 대한 설명이 적절한 것으로 묶인 것은?

보기
㉠ 시각정보보다는 언어정보에 중점을 둔다.
㉡ 모든 학습자가 쉽게 보고 들을 수 있는 대형을 갖춘다.
㉢ 학습자가 이해할 수 있는 어휘를 사용한다.
㉣ 학습자에게 한 번에 최대한 많은 양의 정보를 제공한다.

① ㉠, ㉡　② ㉡, ㉢　③ ㉢, ㉣　④ ㉠, ㉣

■ 효과적인 과제 제시를 위해서는
㉠ 시각정보나 언어정보 하나에만 중점을 두어서는 안 된다.
㉣ 학습자에게 한 번에 너무 많은 양의 정보를 제공해서는 안 된다.

필수문제

56 보기에서 설명하는 알버노(P. Alberno)와 트라웃맨 (A. Troutman)의 행동수정기법은?

보기
학습자가 적절한 행동을 할 때마다 지도자가 점수, 스티커, 쿠폰 등을 제공하는 기법이다.

① 타임아웃(time out)
② 지도자와 학습자 사이의 계약(behavior contracting)
③ 좋은 행동 게임(good behavior game)
④ 토큰 경제(token economies)

■ 지도자의 행동수정기법
· **행동 계약** : 학생의 행동과 그에 따르는 보상과 처벌에 대한 규칙을 학생과 함께 결정하는 것.
· **행동 공표** : 행동 계약으로 결정된 보상과 처벌 내용을 공식적으로 공고 또는 제시하는 것.
· **프리맥 원리** : 좋아하는 활동을 이용하여 좋아하지 않는 활동에 대한 학습동기를 부여하는 것.
· **토큰 시스템**(토큰 경제) : 어떤 행동을 할 때마다 강화의 힘이 없는 토큰(물질)을 강화력이 있는 것과 교환할 수 있는 효력을 줌으로써 강화의 효력을 갖게 하여 목표행동을 유발시키는 기법. 마트에서 제공하는 쿠폰, 스티커, 지도자의 점수 등이다.
· **타임 아웃** : 위반행동에 대한 벌로서 일정 시간 체육 수업활동에 참가할 수 없도록 하는 행동수정 방법.

정답 54 : ③, 55 : ②, 56 : ④

심화문제

57 체육 활동에서 지도자와 학생 간 교수 · 학습의 주도성(directiveness)을 결정하는 요인에 해당하지 않는 것은?

① 학습 목표　　② 내용 선정
③ 수업 운영　　④ 과제 전개

■ 교수 · 학습의 주도성 결정요인
- 내용 선정
- 수업 운영
- 과제 제시
- 참여 형태
- 교수적 상호작용
- 학습 진행
- 과제 전개

58 학습과제의 난이도를 조절하는 방법이 아닌 것은?

① 남녀 학생의 구분　　② 운동수행 조건의 수정
③ 인원 수 조절　　④ 기구의 조정

59 효율적인 지도의 특징으로 적절하지 않은 것은?

① 운영 시간에 배당된 시간의 비율이 낮다.
② 학습자가 과제에 참여하는 시간의 비율이 높다.
③ 학습 과제의 난이도가 적절하다.
④ 학습자가 대기하는 시간의 비율이 높다.

■ 학습자가 대기하는 시간은 최대한 줄여야 한다.

60 보기에서 설명하고 있는 지식은?

보기
체육지도자가 유소년에게 농구 기본 기술을 지도하는 방법에 대한 지식

① 교육과정 지식　　② 교육환경 지식
③ 내용교수법 지식　　④ 내용 지식

■ 농구의 기본기술을 지도하는 방법은 내용교수법에 해당된다.

61 보기에서 김 강사가 활용한 학습자 관리 기술은?

보기
김 강사는 야구를 지도하면서, 정민이가 야구장비를 치우지 않는 일이 반복되자, 지도 후 장비를 치우는 행동을 여러 번 반복하게 했다. 이후 정민이가 장비를 함부로 다루거나 정리하지 않는 행동이 감소되었다.

① 삭제 훈련　　② 적극적 연습
③ 보상 손실　　④ 퇴장

■ 적극적 연습은 학생이 부적절한 행동을 할 때마다 적절한 행동을 일정 횟수 이상 하도록 하는것

62 다음 중 상규적 활동이 아닌 것은?

① 출석 점검　　② 화장실 가기
③ 물 마시러 가기　　④ 지각생 벌주기

■ 지각생 벌주기는 상규적 활동(일반적인 규정이나 규칙에 따른 활동)이 아니다(p. 66 참조)

정답　57 : ①, 58 : ①, 59 : ④, 60 : ③, 61 : ②, 62 : ④

■ 상규적 활동 : 스포츠 지도시간에 자주 반복적으로 일어나는 활동. 예 : 수업 시작, 출석 점검, 화장실 가기, 물 마시기 등

63 **보기에서 설명하는 스포츠 지도 활동에 해당하는 용어로 적절한 것은?**

> 보기
> 이 활동은 스포츠 지도시간에 반복적으로 일어나는 활동이다. 예를 들어 출석 점검, 수업준비 상태 확인, 화장실 출입 등이다. 이러한 과정을 효율적으로 관리하면 학습자들의 과제참여 시간을 증가시키는 데 도움이 된다.

① 상규적 활동　　② 개인적 활동
③ 사회적 활동　　④ 전략적 활동

질문의 유형

64 **다음은 질문유형에 대한 설명이다.**

①	회상형(회고적) 질문	» 암기 수준의 답을 요구하는 질문 » 대부분 예-아니오 수준으로 대답이 되는 질문
②	수렴형(집중적) 질문	» 이전에 배운 내용에 대한 분석과 통합적 이해를 요구하는 질문 » 논리적 사고와 문제 해결력이 요구되는 질문 » 일정한 범위 내에 옳고 그른 해답이 있음
③	확산형(분산적) 질문	» 문제 해결을 통하여 새로운 상황에 알맞은 해결 방안을 요구하는 질문 » 옳은 질문이 여러 개 있을 수 있음
④	가치형(가치적) 질문	» 선택, 태도 등의 표현을 요구하는 질문 » 옳거나 틀린 질문이 없음

심화문제

65 **보기에서 세 명의 축구 지도자가 활용한 질문 유형이 바르게 연결된 것은?**

> 보기
> 이 코치 : 지난 회의에서 설명했던 오프사이드 규칙 기억나니?
> 윤 코치 : (작전판에 그림을 그리면서) 상대 팀 선수가 중앙으로 드리블해서 돌파하고자 할 때, 수비하는 방법들은 무엇이 있을까?
> 정 코치 : 상대 선수가 너에게 반칙을 하지 않았는데 심판이 상대 선수에게 반칙 판정을 했어. 너는 이런 상황에서 어떻게 하겠니?

	이 코치	윤 코치	정 코치
①	회상형(회고형)	확산형(분산형)	가치형
②	회상형(회고형)	수렴형(집중형)	가치형
③	가치형	수렴형(집중형)	회상형(회고형)
④	가치형	확산형(분산형)	회상형(회고형)

정답　63 : ①, 64 : 없음, 65 : ①

필수문제

66 지도자가 의사전달을 위해 학습자의 신체를 올바른 자세로 직접 고쳐주는 지도 정보 단서로 적절한 것은?

① 언어 단서(verbal cue) ② 조작 단서(manipulative cue)
③ 시청각 단서(audiovisual cue) ④ 과제 단서(task cue)

- **단서** : 교사가 과제를 제시하는 동안 학생에게 제공하는 학습 정보
- **언어 단서** : 운동수행향상법에 대한 구두 정보
- **조작 단서** : 학생의 신체 일부를 이동시키는 방법으로 제공하는 체험적인 정보
- **시청각 단서** : 비디오 테이프, CD-ROM, 그림, 사진 등 시청각 매체로 제공하는 단서
- **과제 단서** : 학습과제 제시로 단서를 제공하는 단서

심화문제

67 효과적인 단서의 특징이 아닌 것은?

① 간결성 ② 구체성
③ 연령에 맞는 용어 ④ 평가가 가능한 표현

68 아래의 보기는 학습과제의 전달을 위한 요소 중 무엇에 관한 설명인가?

> 보기
> 어떤 학습과제에서 가장 중요한 특징을 학생에게 전달하기 위해 지도자가 사용하는 단어나 문장

① 학습목표 ② 학습단서
③ 학습요령 ④ 학습내용

필수문제

69 보기의 ㉠, ㉡에 해당하는 젠틸(A. Gentile)의 스포츠 기술이 바르게 연결된 것은?

> 보기
> ___㉠___ 은 환경의 변화나 상태에 의해 변화되는 기술을 말한다.
> ___㉡___ 은 상대적으로 환경적 조건이 안정적이며 외부 조건이 대부분 변하지 않는 속성이 있다.

	㉠	㉡
①	개별기술	복합기술
②	개방기술	폐쇄기술
③	시작형 기술	세련형 기술
④	부분기술	전체기술

- **좋은 학습 단서가 갖추어야 할 요건**
  ① 간단하고 명확하다.
  ② 연령과 기능 수준에 적합하다.
  ③ 학습과제의 특성에 적합하다.
  ④ 계열적으로 조직되어 연습할 수 있다.

- 학습과제의 내용을 학생들이 쉽고 정확하게 이해할 수 있도록 전달할 때 사용하는 단어나 문장을 **학습단서**라고 한다.

- **개방기술** : 수행에 영향을 미치는 변인들이 기능이 수행되는 동안 환경이나 상황에 따라 변화되는 기술. 예 : 대부분의 팀스포츠
- **폐쇄기술** : 기능이 수행되는 동안 변인이 거의 없는 즉 안정된 환경과 외부조건하에서 하는 변하지 않는 기술. 예 : 볼링, 양궁, 농구의 자유투 등

정답 66 : ②, 67 : ④, 68 : ②, 69 : ②

심화문제

70 학습자에게 지도 과제를 전달하는 방법에 대한 설명으로 적절하지 않은 것은?

① 스포츠 경험이 많지 않은 학습자에게는 구체적인 언어전달이 필요하다.
② 과제 전달의 효율성을 높이려면 학습 단서의 수가 많을수록 좋다.
③ 개방기능의 단서는 복잡한 환경을 폐쇄기능의 연습조건 수준으로 단순화시켜 제공한다.
④ 집중력이 높지 않은 어린 학습자에게는 말이나 행동정보 외에 매체를 활용하면 효과적이다.

■ 단서의 수가 너무 많으면 혼란스러워진다.

71 상호학습형 스타일을 적용하여 배구 토스기술 지도 시 옳지 않은 것은?

① 참여자들은 2인 1조로 각각 수행자와 관찰자의 역할을 정한다.
② 관찰자와 수행자는 각자의 수준에 맞추어서 토스 연습을 한다.
③ 수행자는 토스를 연습하고 관찰자는 수행자에게 피드백을 제공한다.
④ 지도자는 관찰자에게 피드백을 제공한다.

■ 상호학습형 스타일에서 파트너 구성 방법은 스스로 파트너 구성, 지난 번과는 다른 새로운 파트너, 사회정서적으로 알맞는 파트너이다.
■ 그런데 파트너의 수준에 맞춰 하는 토스 연습은 옳지 않다.

72 학습과제(지도내용)를 조직하는 방법에 대한 설명이다. 틀린 것은?

① 확대(확장)과제 : 학습과제를 쉬운 것에서 어려운 것으로, 간단한 것에서 복잡한 것으로 조직해야 된다.
② 세련과제 : 학생들이 과제를 수행하느냐 못 하느냐에만 신경을 쓰지 말고, 세련되게 수행하느냐의 여부도 중요하다. 폼이나 느낌과 같은 운동기능의 질적인 측면에 초점이 맞추어진 과제.
③ 응용(적용)과제 : 학생들이 응용할 수 있는 과제여야 한다.
④ 발달적 과제 : 학생들의 발달과정에 맞추어서 학습과제를 조직해야 한다.

■ ④는 폐쇄기능에서 개방기능으로 학습과제를 조직하라는 것이다. 이름도 발달적 과제가 아니고 확대과제에 해당된다.

정답 70 : ②, 71 : ②, 72 : ④

필수문제

73 보기의 ㉠~㉥ 중 모스턴(M. Mosston)의 '자기점검형(self-check style)' 교수 스타일에 해당하는 특징으로만 묶인 것은?

보기
㉠ 지도자는 감환과정의 준거를 제시한다.
㉡ 지도자는 학습자의 능력과 독립성을 존중한다.
㉢ 지도자는 학습자가 활용할 평가 기준을 마련한다.
㉣ 학습자는 과제활동 전 결정군에서 내용을 정한다.
㉤ 학습자는 스스로 자신의 과제를 확인하고 교정한다.
㉥ 학습자는 동료와 피드백을 주고받으며 연습하는 데 중점을 둔다.

① ㉠, ㉢, ㉥ ② ㉡, ㉢, ㉤
③ ㉠, ㉣, ㉤ ④ ㉡, ㉤, ㉥

■ 모스턴의 자기점검형 교수 스타일
· 학생들이 과제를 개별적 · 독자적으로 수행한다.
· 지도자가 설정한 기준을 활용하여 스스로 자신에게 피드백을 제공한다.
· 주어진 과제를 수행함으로써 그 과정을 스스로 점검할 수 있는 방법을 배운다.
㉠ 감환과정(PFD : possible feasible desirable ; 기준에 적합한 해결책을 찾는 과정. 다양한 움직임을 연결하기 위해 지도자가 제시하는 움직임 · 설계조건)의 준거 제시 : 확산생산성
㉣ 과제 활동 전 결정군에서 내용을 정하는 것은 지도자가 일반적 과제를 정해 주는 것임.
㉥ 동료와 피드백을 주고받으며 연습하는 게 중점 : 교류형(상호학습형)

심화문제

74 모스턴(M. Mosston)의 교수(teaching) 스타일에 대한 설명으로 옳지 않은 것은?

① 교수 스타일 A~E까지는 모방(reproduction)이 중심이 된다.
② 교수 스타일의 구조는 과제 활동 전, 중, 후 결정군으로 구성된다.
③ 교수는 지도자와 학습자의 연속되는 의사 결정 과정을 전제로 한다.
④ 교수 스타일은 '대비접근' 방식에 근거를 둔다.

■ 모스턴(M. Mosston)의 체육 교수 스타일의 전체적인 구조는 "수업 활동은 연속되는 의사 결정의 과정이다."라는 전제에서 시작하며, 교수 스타일의 구조는 모방과 창조라는 인간의 두 가지 기본 능력을 반영한다(pp. 67~68 참조).

75 모스턴(M. Mosston)의 수업 스타일 중 학습자가 인지 작용을 통해 문제에 대한 다양한 해답을 찾는 유형은?

① 연습형
② 확산발견형
③ 수렴발견형
④ 상호학습형

■ 무스카 모스턴(Muska Mostton)의 수업 스펙트럼(pp. 67~68) 참조.

정답 73 : ②, 74 : ④, 75 : ②

■ 연습형의 특징 (p. 67 참조)
· 학생이 과제를 독자적이고 개별적으로 연습할 시간이 주어지는 것
· 교사가 모든 학생들에게 개별적으로 피드백을 줄 수 있는 시간을 마련해주는 것

76 모스턴(M. Mosston)의 수업 스타일 중 연습형의 특징으로 적절하지 않은 것은?

① 학습자 스스로 과제를 평가하게 한다.
② 학습자는 숙련된 운동 수행이 과제의 반복 연습과 관련 있음을 이해한다.
③ 지도자는 학습자에게 개별적으로 피드백을 제공한다.
④ 학습자가 모방 과제를 스스로 연습할 수 있도록 지도한다.

■ 지도자가 원하는 방향으로 학생이 대답하도록 질문을 통해서 유도하는 것이 유도발견형이다.

77 보기에서 설명하는 교수법은?

> 보기
> 참여자는 체육지도자가 묻는 질문에 대답하면서 한 가지 개념적 아이디어를 찾아낸다.

① 지시형　② 자기점검형　③ 연습형　④ 유도발견형

78 보기에서 제시하고 있는 포괄형 스타일의 특징은?

> 보기
> » 유 코치는 높이뛰기를 지도하기 위해서 바(bar)의 높이를 110cm, 130cm, 150cm로 준비하였다.
> » 참여자들은 자신의 수준에 적합한 바의 높이를 선택하였다.

■ 포괄형은 학생들이 스스로 자신에게 맞는 처음 수준을 결정하고, 언제 다음의 수준으로 옮겨갈지를 결정하는 것(p. 67 참조)

① 지도자가 참여자의 출발점을 결정한다.
② 과제수행 능력에 대한 개인의 차이를 인정한다.
③ 모든 참여자가 동일한 수준의 과제를 수행한다.
④ 지도자는 참여자가 선택한 수준에 대해 가치가 담긴 피드백을 제공한다.

79 보기에서 설명하고 있는 지도방법은?

> 보기
> » 참여자는 선호하는 학습양식과 학습매체를 사용할 수 있다.
> » 참여자는 하나의 문제에 다양한 해답을 찾을 수 있다.
> » 참여자는 해답을 찾아가는 과정에 대한 책임이 있다.

■ 유도발견형과의 차이점을 잘 알아둘 것 (p. 67 참조).

① 유도발견형　② 문제해결형　③ 과제형　④ 직접형

80 보기에서 설명하고 있는 교수기능 연습 방법은?

> 보기
> 예비지도자가 모의 상황에서 동료 또는 소수 참여자들을 대상으로 일정한 시간 내에 구체적인 내용으로 지도기능을 연습한다.

■ '소수 참여자들을 대상으로'에서 힌트를 얻을 수 있다.

① 실제 교수　② 마이크로 티칭　③ 스테이션 교수　④ 1인 연습

정답　76 : ①, 77 : ④, 78 : ②, 79 : ②, 80 : ②

81 보기의 수업 장면에서 활용된 모스턴(M. Mosston)의 교수 스타일에 대한 설명으로 적절하지 않은 것은?

> 보기
> - 운동종목 : 축구
> - 학습목표 : 수비수를 넘겨 멀리 인프런트킥으로 패스하기
> - 수업장면
>
> 지도자 : 네 앞에 수비가 있을 때, 멀리 있는 동료에게 패스하려면 어떻게 킥을 해야 할까?
> 학습자 : 수비수를 피해 공이 높이 뜨도록 차야 해요.
> … (중략) …
> 지도자 : 그럼, 달려가면서 발의 어느 부분으로 공의 밑 부분을 차면 멀리 보낼 수 있을까?
> 학습자 : 발등과 발 안쪽의 중간 지점이요(손으로 신발끈을 묶는 곳을 가리킨다).
> 지도자 : 좋은 대답이야. 그럼, 우리 한 번 수비수를 넘겨 킥을 해볼까?

① 지도자는 미리 예정되어 있는 해답을 학생에게 직접적으로 전달한다.
② 지도자는 논리적이며 계열적인 질문을 설계해야 한다.
③ 지도자는 질문(단서)에 대한 학습자의 해답(반응)을 검토하고 확인한다.
④ 지도자와 학습자가 지속적으로 상호작용하며 의사결정을 내린다.

▪ 보기는 수렴발견형에 관한 설명이다(p. 67 참조).
▪ ①은 명령형(지시형)이다(p. 67 참조).

82 다음 중 체육 지도방법의 교수전략으로 타당하지 않은 것은?

① 반성적 교수　　② 파트너 교수
③ 팀티칭　　④ 목적중심 교수

▪ 과정중심 교수와 반대되는 말이 목적중심 교수.

필수문제

83 학습자의 부적절한 행동을 감소시키는 전략의 명칭과 사례가 바르게 연결된 것은?

① 신호간섭(signal interference)－지도자가 옆 사람과 잡담하는 학습자에게 가까이 다가간다.
② 접근통제(proximity control)－동료의 연습을 방해하는 학습자를 일정 시간 동안 연습에 참여시키지 않는다.
③ 삭제훈련(omission training)－운동기구 정리를 잘 하지 않는 학습자에게 기구 정리를 반복하여 연습시킨다.
④ 보상손실(reward cost)－연습 시간에 계속 지각하는 학습자의 경기 출전권을 제한한다.

▪ **신호간섭** : 시선 마주침, 손 움직임, 부주의한 행동 등을 제지시키는 교사의 행동
▪ **접근통제** : 교사가 방해행동을 하는 학생에게 가까이 접근하거나 접촉하는 것
▪ **삭제훈련** : 학생이 부정적 행동을 하지 않았을 때 칭찬이나 보상을 하여 부정적 행동을 삭제함.
▪ **보상손실** : 연습시간에 계속 지각하는 학습자의 경기출전권을 제한하여 잘못된 행동을 했을 때 좋아하는 것을 줄임(p. 68 참조).

정답 81 : ①, 82 : ④, 83 : ④

심화문제

84 학습자의 이탈 행동을 예방하고 과제참여 유지를 위한 교수 기능 중 올스테인(A. Ormstein)과 레빈(D. Levine)이 제시한 신호간섭에 해당하는 것은?

① 프로그램 진행을 방해하는 학습자에게 가까이 접근하거나 접촉하여 제지하는 것이다.
② 긴장완화를 위해 유머를 활용하는 것이다.
③ 시선, 손짓 등 지도자의 행동으로 학습자의 운동 참여 방해 행동을 제지하는 것이다.
④ 프로그램에 참여하는 학습자에게 일상적 수업, 루틴 등과 같은 활동을 활용하는 것이다.

■ 스포츠지도의 교수 기법(p. 68) 참조.

85 보기에서 예방적(proactive) 수업 운영 행동에 해당하는 것을 바르게 고른 것은?

> 보기
> ㉠ 이번 주에 배울 내용을 게시판에 공지한다.
> ㉡ 수업 시작과 종료를 정확하게 지킨다.
> ㉢ 학습자에게 농구의 체스트 패스에 대한 시범을 보인다.
> ㉣ 2인 1조로 체스트 패스 연습을 한다.
> ㉤ 호루라기를 사용하여 학습자의 주의를 집중시킨다.

① ㉠, ㉡, ㉤ ② ㉠, ㉢, ㉣ ③ ㉡, ㉢, ㉣ ④ ㉢, ㉣, ㉤

■ 예방적 수업운영 행동(p. 68) 참조.

필수문제

86 보기는 정코치의 반성 일지이다. ㉠, ㉡, ㉢에 해당하는 피드백이 바르게 나열된 것은?

> 보기
>
> **반성 일지**
>
> 2019년 5월 7일
>
> 오늘은 초등학교 방과 후 테니스 수업에서 지난 시간에 이어서 모둠별로 포핸드 드라이브 연습을 수행했다. '테니스의 왕자'라고 자부하는 시안이는 포핸드를 정확하게 수행한 후 자랑스러운 듯 나를 바라보았다. ㉠ 나는 고개를 끄덕이며 엄지손가락을 세워 보였다. … (중략) … 한편, 경민이는 여전히 공을 맞히는 데 힘들어 보였다. 나는 ㉡ "정민아 지금처럼 공을 끝까지 보지 않으면 안 돼!" ㉢ "왼손으로 공을 가리키고 시선을 고정하면 정확하게 공을 맞힐 수 있어."라고 피드백을 주었다.

	㉠	㉡	㉢
①	가치적 피드백	구체적 피드백	중립적 피드백
②	가치적 피드백	중립적 피드백	교정적 피드백
③	비언어적 피드백	부정적 피드백	일반적 피드백
④	비언어적 피드백	부정적 피드백	교정적 피드백

■ 피드백의 유형(pp. 68~69) 참조.

정답 84 : ③, 85 : ①, 86 : ④

심화문제

87 보기의 설명에 해당하는 피드백 유형은?

> 보기
> » 모스턴(M. Mosston)이 제시한 피드백 유형이며, 사실적으로 행동을 기술한다.
> » 판단이나 수정 지시를 하지 않으나, 피드백 진술의 의미를 변경할 수 있다.
> » 다른 피드백 형태로 옮겨가는 특징을 가지고 있다.

① 교정적 피드백(corrective statements)
② 가치적 피드백(value statements)
③ 중립적 피드백(neutral statements)
④ 불분명한 피드백(ambiguous statements)

■보기는 중립적 피드백에 관한 설명임.
■① **교정적 피드백** : 다음 운동수행을 개선할 수 있는 방법에 관한 단서(정보)와 함께 제공하는 패드백
■② **가치적 피드백**(피드백의 평가) : 운동수행에 대한 긍정적 또는 수정적 판단(가치)의 단어가 포함된 피드백
■④ **불분명한 피드백**(부정확한 피드백) : 수행하는 운동정보가 운동기능을 부정확하게 설명하는 피드백
■pp.68~69 참조

88 보기에서 박 코치가 태호에게 제시하고 있는 피드백 방식은?

> 보기
> 박 코치 : "태호야. 테니스 서브를 할 때, 베이스라인을 밟았네. 다음부터는 라인을 밟지 않도록 해라."
> 태　호 : "네, 그렇게 하겠습니다."

① 교정적 피드백　② 부정적 피드백
③ 긍정적 피드백　④ 가치적 피드백

■교정적 피드백은 잘못된 점을 고치기 위한 구체적인 정보를 제공하는 것이다(pp. 68~69 참조).

89 아래 보기의 내용을 모두 포함하는 교육과정 개선의 관점은 무엇인가?

> 보기
> » 교사를 교육과정과 학교교육 변화의 중심에 둔다.
> » 교육과정의 개선은 학교교육에 참여하는 구성원 간의 상호작용을 통해 결정된다.
> » 교사 스스로 변화의 정당성을 이해하고자 노력하며, 능동적으로 의식의 전환을 도모한다.

① 기능적 관점　② 생태적 관점
③ 문화적 관점　④ 효율적 관점

■이 문제는 문화적 관점을 물어보는 것인데, 스포츠지도사 자격시험의 범위를 벗어났다고 본다.

정답 87 : ③, 88 : ①, 89 : ③

06 Chapter

스포츠교육의 평가론

평가의 이론적 측면

평가는 교수 학습의 결과로 학생들의 행동에 얼마나 변화가 생겼는지 알아보기 위해서 자료를 수집하는 과정이라고 할 수 있다. 그러므로 평가에는 학습자의 성취도를 판단하는 과정과 교육과정의 질과 효과를 판단하는 과정이 있어야 한다.

1 용어의 정의

☞ 검사……일이나 신체 또는 어떤 물질의 상태 또는 성분을 조사하는 것.

☞ 측정……일이나 물체의 크기나 양에 어떤 수치를 부여하는 것.

검사나 측정에는 가치판단이 포함되어 있지 않다는 점에서 평가와 다르다.

☞ 사정……평가보다 더 포괄적인 개념으로 평가한 자료를 바탕으로 의사결정을 하거나 옳고 그름을 판단하며 등급을 매기는 과정.

▶ 교육평가의 기본 가정

교육평가를 위한 기본 가정으로는 크게 나음의 네 가지가 있다.

교육평가의 대상과 자료의 무한성	교육평가의 대상과 자료는 무한하다. 어떠한 행위, 대상, 자료도 교육평가의 대상이 된다.
시간의 연속성	평가는 일회적으로 실시하고 종료하는 것이 아니라 지속적으로 이루어져야 한다. 연속적인 평가를 통해 평가대상의 변화에 따른 성적을 점검하고 교육의 효과를 극대화할 수 있다.
평가의 종합성	교육평가는 종합적이어야 한다. 평가대상이 가지고 있는 모든 자료를 종합적으로 수집하여 평가하여야 한다.
학습자의 잠재 능력 개발 가능성	인간은 개발할 수 있는 무한한 잠재능력을 지니고 있다. 유전적 관점에서의 교육은 인간 발달의 가능성을 제한하기 때문에 교육평가의 기능을 극대화할 수 없다. 최근의 심리학은 이런 의견에 대해 의문을 제기한다. 2014년 국제적으로 저명한 심리학 학술지 「Psychological Science」에 실린 논문에 따르면, "학술 분야에서 노력한 시간이 실력의 차이를 결정짓는 비율은 4%에 불과한 것으로 나타났고, 어떤 분야든 선천적 재능이 없으면 아무리 노력해도 대가가 될 수 있는 확률은 그리 높지 않다."

2 평가의 목적 및 내용

평가는 평가대상(학습자)에 대한 자료를 수집하여 분석하는 것이 목적이 아니고 지도자의 교육활동을 개선하는 것이 진정한 목적이다.

▶ 평가에는 포함되어야 할 내용

⊗ 교수……학습의 효과성 판단

⊗ 학습자의 운동수행 능력의 향상과 학습동기의 촉진

⊗ 학습자의 학습상태와 학습지도에 관한 정보(자료)

⊗ 학습지도 및 관리운영의 효율성에 대한 정보(자료)

⊗ 교육프로그램 또는 교육과정의 적합성과 적절성에 대한 정보(자료)

⊗ 교육목표와 학습지도 활동의 조정

3 평가의 종류와 기능

진단평가	스포츠 지도활동이 시작되기 전에 지도전략을 수립하기 위한 기초자료를 얻고, 효과적인 지도방법과 학습방법을 결정하기 위해서 학습자의 기초능력을 진단하는 평가.
형성평가	교수–학습활동이 진행되는 중간에 학생들에게 생기는 학습효과의 정도를 알아보기 위해서 하는 평가.
총괄평가	일정한 양의 학습과제를 모두 수행하였거나 일정한 기간의 학습활동이 끝난 다음에 학습자들의 학업성취 수준을 알아보기 위해서 실시하는 평가.

4 평가의 단계

평가의 단계는 평가의 목적 · 영역 · 모형에 따라서 달라질 수 있다. 그러나 스포츠지도자가 현장에서 사용할 수 있는 가장 일반적인 평가의 단계는 다음과 같다.

평가목적의 결정 → 학습성과의 확인 → 평가도구의 제작 → 평가자료의 수집 → 평가자료의 분석 → 평가결과의 보고 → 평가결과의 활용

평가목적의 결정	평가의 목적이 결정되면 그에 따라서 평가방법과 내용이 결정되므로 평가의 목적을 가장 먼저 결정해야 한다.
학습성과의 확인	평가목적을 달성하기 위해서 학습자의 학습성과를 구체적으로 확인해야 한다.
평가도구의 제작	평가에 필요한 자료의 정보를 효과적으로 수집할 수 있는 평가도구를 제작하거나 선정한다.
평가자료의 수집	제작한 평가도구를 평가 대상자에게 적용하여 필요한 정보와 자료를 수집한다.
평가자료의 분석	평가도구를 적용해서 수집한 자료를 분석하거나 해석한다.
평가결과의 보고	분석한 평가결과를 평가대상자에게 알려주고 앞으로 보완하거나 수정해야 할 사항들에 대하여 논의한다.
평가결과의 활용	다음에 실시할 스포츠 지도에 평가결과와 논의결과를 반영하여 활용한다.

5 평가도구의 양호도

평가도구 또는 측정도구가 좋은 정도를 평가(측정)도구의 양호도라 하고, 양호도는 타당도, 신뢰도, 객관도, 실용성으로 판단한다.

▶ 타당도

측정하려고 했던 것을 정확하게 측정하였느냐를 타당도라고 한다. 타당도에는 내용타당도, 준거타당도, 구인타당도가 있다.

내용타당도	검사문항이 측정하려고 하는 내용을 잘 대표하고 있는 정도
준거타당도	측정결과가 준거가 되는 다른 측정결과와 관련이 있는 정도
구인타당도	'창의성'을 측정한다고 할 때, 창의적이 민감성, 이해성, 도전성 등으로 구성되어 있다고 가정한 다음 그 요인들이 얼마나 잘 측정되었는지 알아보는 것을 구인타당도를 측정한다고 한다.

▶ 신뢰도

신뢰도 : 어떤 측정도구로 같은 것을 여러 번 측정해도 측정결과가 비슷한 정도

신뢰도를 검사하는 방법

검사-재검사	시간 차이를 두고 2번 측정해서 측정값을 비교한다.
동형검사	동일한 구인(구성요인)을 측정할 수 있는 수많은 문항들 중에서 무작위로 일정한 수의 문항을 2번 선택해서 검사를 해보는 것이다.
내적 일관성 검사	하나의 측정 도구 안에 있는 문항들 사이에 서로 연관성이 있는지 여부를 파악함으로써 신뢰도를 추정하는 것이다.

▶ 객관도와 실용성

객관도 : 평가도구로 측정할 때 개인적인 의견이나 편견을 배재하고 얼마나 객관성을 유지하였느냐 하는 것

객관도를 알아보는 방법에는 똑같은 것을 두 사람(채점자)이 측정했을 때 얼마나 차이가 나는지 알아보는 방법과 한 사람(채점자)이 시차를 두고 2번 측정했을 때 얼마나 차이가 나는지를 알아보는 방법이 있다. 어떤 평가도구의 타당도와 신뢰도가 높으면 좋겠지만, 검사하는 방법이 너무 복잡하다든지 시간이나 비용이 너무 많이 필요하다면 실용성이 없는 것이다.

평가의 실천적인 측면

1 평가의 관점

평가의 목적을 어떻게 보느냐 하는 것으로 다음과 같이 4가지 관점이 있다.

ⓐ 측정으로서의 평가

ⓐ 학습목표와 학습결과가 일치하는 정도를 결정하는 과정으로서의 평가

ⓐ 전문적 판단과정으로서의 평가

ⓐ 응용 연구로서의 평가

2 평가의 모형

평가의 목적을 효과적으로 달성하기 위해서 평가 방법과 절차를 체계적으로 정리해놓은 것을 평가의 모형이라고 한다.

목표달성 모형	어떤 프로그램이나 수업이 종료된 후 교육목표가 달성된 정도를 확인하는 것으로, 설정된 행동목표와 학생의 실제 성취수준을 비교한다. 교육의 효과(성과)를 체계적이고 정확하게 평가할 수 있지만 교육과정의 개선에는 한계가 있다.
가치판단 모형	평가자는 반드시 교육 프로그램 또는 교육과정의 질에 대한 평가를 해야 할 책임이 있다고 주장하는 모형이다. 전문가의 전문적인 지식과 기술을 바탕으로 교육프로그램이나 교육과정의 가치를 체계적으로 판단하는 활동이 바로 평가이다.
의사결정 모형	교육과 관련된 의사 결정자에게 유용한 정보를 제공함으로서 의사결정을 촉진하는 것이 평가의 목적이라는 입장이다. 계획단계의 의사결정을 위해서 상황평가를 하고, 구조화단계의 의사결정을 위해서 투입평가를 한다. 그다음에는 실행단계의 의사결정을 위해서 과정평가를 하고, 마지막으로 순환단계의 의사결정을 위해서 산출평가를 한다.

3 평가의 기준에 따라서 분류한 평가의 종류

준거지향 평가 (절대평가)	학생들의 수행이 미리 정해놓은 기준에 도달하면 교육목표가 달성되었다고 하고, 미리 정해놓은 기준에 도달하지 못하면 교육목표를 달성하지 못했다고 평가한다. 준거지향 평가는 스포츠지도사 자격시험처럼 어떤 준거(예 : 60점)에 도달하면 몇 사람이 되었던 자격증을 주고, 정해놓은 준거에 도달하지 못하면 자격증을 주지 않는다.
규준지향 평가 (상대평가)	평균보다 잘했으면 수나 우를 주고, 못했으면 양 또는 가를 주며, 평균과 비슷하면 미를 주는 5단계평가와 비슷한 것이다. 규준지향 평가를 **상대평가**라고도 하고, 준거지향 평가를 **절대평가**라고도 한다.
자기지향 평가	자기지향 평가는 자신이 알아서 점수를 준다는 말이지만, 다르게 말하면 학생마다 다른 기준에 의해서 점수를 준다는 뜻이다.
수행평가	학생들의 수행 결과나 산출물들을 직접 관찰 또는 평가한 내용을 토대로 하여 수행 결과나 산출물의 질에 대하여 전문적인 판단을 내리는 평가방법이다.

4 평가의 기법

시험을 보아서 평가하는 방법이 아니라. 스포츠기술을 지도할 때처럼 어떤 행동을 보고 평가하는 방법에는 다음과 같은 것들이 있다.

체크리스트	체크리스트는 어떤 스포츠기술을 수행할 때 하는 동작의 세부명세서를 적어놓은 것이다. 그 명세서에 적혀 있는 동작들을 실재로 수행하는지 보고 체크하는 것이다. 체크리스트에서 가장 중요한 것은 목적에 부합되는 적정 수의 항목들로 구성되어 있어야 한다는 것이다. 항목 수가 잡다하게 많거나 중복되는 일이 없어야 하고 문장이 애매모호해서도 안 된다.
평정척도	학습 결과, 성격, 태도 등을 평가할 때 사용하는 기준에 해당되는 것으로 보통 A, B, C, D, E 또는 수, 우, 미, 양, 가를 사용한다. 보통 3단계 또는 5단계 척도를 사용하고, 평정척도의 단계 수가 너무 많으면 정확성 또는 신뢰성이 떨어지게 된다.

루브릭 (채점기준표)	지필평가의 단점을 보완하기 위해서 수행평가를 도입하면서 루브릭을 개발하기 시작하였다. 루브릭은 수행평가를 하는 도구로 사용되기 때문에 학습자의 성취도를 평가하기 위한 기준이나 가이드라인이 명세표처럼 자세하게 조목조목 적혀 있어야 한다.
관찰	눈으로만 관찰하는 것이 아니라 주의 깊게 듣는 것도 관찰이다. 반두라(Albert Bandura)는 다른 사람의 행동과 그 결과를 관찰하는 것만으로도 학습이 이루어진다고 보았다. 그러므로 경기를 관람하거나 촬영 영상을 보는 것만으로도 스포츠 지도를 할 수 있다고 생각한다.
학습자일지	학습자일지는 학습자의 학습 진행 및 학습 내용을 상세하게 기록한 것이다. 그러므로 학습자로 하여금 그날의 학습이 끝나면 학습내용, 학습소감, 지도자의 의견 등을 함께 적도록 지도하는 것이 중요하다.
학습자 면접과 설문지	학습자의 정보는 교육현장에서 발생하는 여러 문제를 원만하게 해결할 수 있는 자원임과 동시에 교육 프로그램의 기획 및 지도자의 전문성 함양에 도움이 되므로 학생들과의 면담이나 설문지를 통하여 그들의 생각을 파악하여 지도 시에 반영하는 것이 중요하다.

필수 및 심화 문제

필수문제

01 보기의 대화에서 평가의 개념과 목적을 잘못 이해하고 있는 지도자는?

보기

박 코치 : 평가의 유사개념에는 측정, 사정, 검사 등이 있는 것으로 알고 있습니다.

정 코치 : 네, 측정이나 검사는 가치 지향적이고 평가는 가치 중립적인 활동입니다.

김 코치 : 평가는 학습자의 학습 상태와 지도에 관한 정보를 제공할 수 있습니다.

유 코치 : 그래서 평가는 지도 활동에 대한 피드백이 될 수 있습니다

① 박 코치 ② 정 코치
③ 김 코치 ④ 유 코치

- **측정** : 일이나 물체의 크기 또는 양에 일정한 수치를 부여하는 일
- **검사** : 일 · 신체 · 물질 등의 상태나 성분을 조사하는 일
- **평가** : 학습 결과를 알아보기 위해 자료 수집을 하는 일
- **사정** : 평가 자료를 기초로 한 의사결정이나 등급을 매기는 일

심화문제

02 다음 중 스포츠교육의 평가목적과 거리가 먼 것은?

① 교수학습 활동의 효과성 판단 ② 학습자의 향상동기 촉진
③ 학습자의 역량 판단 ④ 스포츠지도사의 능력 판단

- 스포츠지도사의 능력판단을 목적으로 하는 것이 아니라 스포츠지도방법의 개선이 목적이다.

03 학습자 간 동료평가에 대한 설명으로 올바르지 않은 것은?

① 짧은 시간에 신뢰성 높은 자료를 수집할 수 있다.
② 자기평가보다 신뢰성이 높다
③ 지도자는 평가하는 학생에게 처음부터 책임범위를 넓게 주는 것이 필요하다.
④ 학습자가 평가기준에 대해 충분히 이해하고 있어야 한다.

필수문제

04 체육 프로그램을 지도할 때 학습자 평가의 목적으로 가장 거리가 먼 것은?

① 학습자의 체육 프로그램 참여 및 향상 동기 촉진
② 교수-학습의 효과성 판단
③ 학습 과정을 배제하고 결과 중심으로 순위를 결정하기 위해 활용
④ 교육목표에 따른 학습 진행 상태 점검과 지도 활동 조정

- 평가의 목적은 교육을 도와주는 기능이지 구속하는 기능은 아니다. 따라서 학습과정을 배제하고 결과 중심으로 순위를 결정하는 것이 체육 프로그램 학습자 평가의 목적이 아니다.

정답 01 : ②, 02 : ④, 03 : ③, 04 : ③

심화문제

05 지도자가 수업의 성공 여부를 판단할 때 가장 중요한 기준은?

① 학생들이 얼마나 즐겁게 수업에 참여했는가?
② 학생들이 수업 중 규칙을 얼마나 잘 준수했는가?
③ 학생들이 수업 중 얼마나 열심히 참여했는가?
④ 학생들이 목표를 얼마나 달성했는가?

■ 수업의 성공 여부는 학생들의 목표 달성 정도에 달려 있다.

06 다음 중 체육학습 평가의 목적과 활용에 대한 설명으로 적절하지 않은 것은?

① 학습자들에게 학습상태와 학습지도에 관한 정보를 제공한다.
② 평가로 활용할 수 있는 방법은 진단평가보다 형성평가가 적합하다.
③ 학습목표와 관련된 학습 진행 상태를 평가하여 교수활동을 조정한다.
④ 교수의 효과를 판단하고 학습자들에게 운동수행의 향상동기를 유발한다.

■ 활용하는 것은 총괄평가의 결과이다.

07 교수-학습과정의 구성요소가 아닌 것은?

① 실행　　② 계획
③ 전환　　④ 평가

■ 수업을 계획해서 실행한 다음에 평가한다.

필수문제

08 보기의 배드민턴 지도 사례에서 IT 매체의 효과로 잘못 연결된 것은?

보기
㉠ 학습자의 흥미 유발을 위해 스마트폰과 스피커를 활용하여 최신 음악에 맞춰 준비운동을 시켰다.
㉡ 배드민턴 스매시 동작을 기록하기 위해 영상분석 애플리케이션(application)을 사용하였다.
㉢ 학습자의 동작 완료 10초 후 지도자는 녹화된 영상을 보고 학습자의 자세를 교정해 주었다.
㉣ 지도자가 녹화한 영상을 학습자의 단체 소셜네트워크 서비스(SNS)에 올린 후 동작 분석에 대해 서로 토의했다.

① ㉠ – 학습자의 동기유발
② ㉡ – 과제에 대한 체계적 관찰의 효율성 증가
③ ㉢ – 학습자의 운동 참여 시간 증가
④ ㉣ – 학습자와 지도자의 의사소통 향상

■ IT 매체의 효과
· **피드백 효과** : 피드백의 양과 정확성 증가로 즉시적인 피드백이 늘어남.
· **학습자 동기효과** : 스스로 자신의 동작을 평가하면 자기통제성을 향상시키고 흥미를 이끌어낼 수 있어 운동수행의 내적 동기가 강화됨.
· **의사소통 효과** : IT 매체에 저장된 정보는 지도자의 학습자 또는 학습자 간의 쌍방향 의사소통을 증가시킴.
■ ㉢은 피드백 효과에 관한 설명이다.

정답 05 : ④, 06 : ②, 07 : ③, 08 : ③

필수문제

09 보기의 대화에서 각 지도자들이 활용하고 있는(활용하고자 하는) 평가 유형이 바르게 나열된 것은?

보기
이 감독 : 오리엔테이션 때 학생들에게 최종 목표를 분명하게 얘기했어요. 그 목표의 달성 여부를 종합적으로 확인하기 위해 시즌 마지막에 평가를 실시할 계획이에요.
윤 감독 : 이번에 입학한 학생들은 기본기가 많이 부족했어요. 시즌 전에 학생들의 기본기 수준을 평가했어요.
김 감독 : 학교스포츠클럽에서 배구를 가르칠 때 수시로 학생들의 기본기능을 확인하고 있어요.

	이 감독	윤 감독	김 감독
①	총괄평가	형성평가	진단평가
②	총괄평가	진단평가	형성평가
③	진단평가	형성평가	총괄평가
④	진단평가	총괄평가	형성평가

■ 이 감독은 학기말에 평가를 한다는 것이므로 **총괄평가**이고, 윤 감독은 시즌 전에 평가를 한 것이므로 **진단평가**이다. 김 감독은 수시로 평가를 하는 것이므로 **형성평가**이다.
■ 평가의 종류와 기능 (p. 95) 참조

심화문제

10 보기는 학습평가의 기능들을 나열한 것이다. 진단평가의 기능을 '진', 형성평가의 기능을 '형'으로 나타냈을 때 옳은 것은?

보기
1. 학습 전 학습자의 수준 파악
2. 교수 · 학습활동의 교정
3. 지도전략의 수립
4. 학업성취도의 판단

① 진형진형
② 형진형진
③ 진진형형
④ 형형진진

■ 학습 전 학습자의 수준 파악과 지도 전략의 수립 : 진단평가
■ 교수-학습활동의 교정과 학업성취도의 판단 : 형성평가

11 평가의 기능에 따라서 진단평가, 형성평가, 총괄평가로 나눈다고 할 때 총괄평가에 해당되지 않는 것은?

① 학습자의 기초능력을 총괄적으로 평가한다.
② 학습자의 학업성취도를 종합적으로 판단한다.
③ 스포츠 지도활동을 개선할 수 있는 자료를 수집할 수 있다.
④ 차기학습 계획 수립에 도움이 된다.

■ 진단평가는 공부하기 전에, 형성평가는 공부하는 도중에, 총괄평가는 공부를 마친 후에 평가하는 것이다. 그러므로 ①은 진단평가에 해당된다.

정답 09 : ②, 10 : ①, 11 : ①

12 보기의 ㉠, ㉡에 해당하는 평가 방법을 바르게 연결한 것은?

보기
㉠ 수업 전 학습목표에 따른 참여자 수준을 결정하고, 학습과정에서 참여자가 계속적인 오류 상황을 발생시킬 때 적절한 의사결정을 하도록 한다.
㉡ 학생들에게 자신의 높이뛰기 목표와 운동계획을 수립하게 한 다음 육상 단원이 끝나는 시점에서 종합적 목표 달성여부 확인을 위해 평가를 실시한다.

■ 진단평가는 학습 초기에, 형성평가는 학습 도중에, 총괄평가는 학기 말에, 수시평가는 수시로 평가하는 것이다.

	㉠	㉡		㉠	㉡
①	진단평가	형성평가	②	진단평가	총괄평가
③	형성평가	총괄평가	④	총괄평가	형성평가

13 체육 활동 지도 초기에 참여자의 수준과 상태를 파악하고, 효과적인 교수 · 학습 전략을 수립하기 위해 실시하는 평가는?

① 진단평가
② 형성평가
③ 총괄평가
④ 수시평가

필수문제

■ 평가의 단계 :
평가목적의 결정 →
학습성과의 확인 →
평가도구의 제작 →
평가자료의 수집 →
평가자료의 분석 →
평가결과의 보고 →
평가결과의 활용

14 아래의 보기는 스포츠지도 시 학습자를 대상으로 실시할 수 있는 평가단계를 순서별로 나타낸 것이다. 빈 칸에 들어갈 내용으로 가장 옳은 것은?

보기(평가의 7단계)
1. 평가목적의 결정 → 2. 학습성과의 확인 → 3. 평가도구의 제작 →
4. ____________ → 5. 평가자료의 분석 → 6. 평가결과의 보고 →
7. ____________

① 평가자료의 수집, 평가결과의 활용
② 평가결과의 활용, 평가자료의 수집
③ 평가방법의 선정, 평가결과의 활용
④ 평가결과의 활용, 평가방법의 선정

■ 구인타당도 : 협동심을 측정하려고 할 때 맨 먼저 무엇무엇이 협동심을 구성하는 요인(구인)이라고 결정한다. 그다음에는 구인 하나하나를 측정할 수 있는 문항을 만들어서 학생들에게 나누어주고, 설문지에 학생들이 답한 것을 가지고 평가하게 된다. 그때 만들어진 설문지가 구인을 제대로 측정할 수 있도록 만들어졌는지를 알아보는 것이 구인타당도이다.
조언타당도라는 말은 없다.

필수문제

15 평가의 타당도를 측정하는 방법이 아닌 것은?

① 내용타당도
② 준거타당도
③ 조언타당도
④ 구인타당도

정답 12 : ②, 13 : ①, 14 : ①, 15 : ③

심화문제

16 다음의 설명에 맞는 평가방법은?

1. 미리 정해놓은 기준과 비교하여 학습자의 성취도 수준 평가 2. 개인의 목표성취 여부에 관심 3. 신뢰할 수 있는 기준의 설정 어려움

① 절대평가 ② 상대평가
③ 형성평가 ④ 총괄평가

■ 절대평가(p. 97) 참조
■ 문제 22번 참조

17 다음 중 신뢰도를 측정할 수 있는 방법이 아닌 것은?

① 검사 – 재검사 ② 동형검사
③ 내적 일관성검사 ④ 실용성검사

■ 실용성 검사는 신뢰도 측정 방법이 아니다(p. 96 참조).

18 보기에서 이 감독이 고려하지 않은 평가의 양호도는?

보기 준혁 : 서진아, 왜 이 감독님은 배구 스파이크를 평가할 때 공을 얼마나 멀리 보내는지를 가장 중요하게 평가하시는 걸까? 서진 : 그러게 말이야. 스파이크는 멀리 보내는 것이 중요한 게 아니라 코트 안으로 얼마나 정확하고 강하게 때리느냐가 중요한 것 같은데.

① 신뢰도 ② 객관도
③ 타당도 ④ 실용도

■ 평가의 신뢰도는 2번 이상 측정했을 때 평가 결과가 비슷한 정도를 말하고, 객관도는 2사람 이상이 측정했을 때 결과가 비슷한 정도, 타당도는 측정하려 했던 것을 측정했는지 여부, 실용도는 측정하는 데 필요한 시간과 비용을 말한다.

필수문제

19 체육 수행평가에 관한 설명으로 옳은 것은?

① 학습의 과정보다 결과를 중시한다.
② 일시적이며 단편적인 관찰에 의존한다.
③ 개인보다 집단에 대한 평가를 강조한다.
④ 아는 것과 실제 적용 능력을 모두 강조한다.

■ **평가의 기준에 따른 평가의 종류**
준거지향 평가(절대평가), 규준지향 평가(상대평가), 자기지향 평가, 수행평가 → p. 97 참조.

정답 16 : ①, 17 : ④, 18 : ③, 19 : ④

심화문제

20 멕티게(J. Mclrighe)가 제시한 개념으로 학습자가 배운 내용을 경기상황에서 구현하는 정도를 평가하는 방법은?

■ **실제평가** : 수행평가라고도 하며, 학교에서 배운 지식이 구현될 수 있는 실제상황이나 모의상황에서 시행되는 평가방법

① 총괄평가(summative assessment)
② 규준지향평가(norm-referenced assessment)
③ 준거지향평가(criterion-referenced assess-ment)
④ 실제평가(authentic assessment)

21 다음 중 평가기준에 따른 분류가 아닌 것은?

■ 목적지향 평가는 평가 기준에 따른 분류가 아니다.

① 준거지향 평가 ② 규준지향 평가
③ 자기지향 평가 ④ 목적지향 평가

필수문제

22 보기에서 두 명의 수영 지도자가 활용한 평가 유형이 바르게 연결된 것은?

보기
박 코치 : 우리반은 초급이라서 25m 완주를 목표한다고 공지했어요. 완주한 회원들에게는 수영모를 드렸어요.
김 코치 : 저는 우리 클럽의 특성을 고려해서 모든 회원의 50m 평영 기록을 측정했습니다. 그리고 상위 15%에 해당하는 회원들께 '박태환' 스티커를 드렸습니다.

	박 코치	김 코치
①	절대평가	상대평가
②	상대평가	절대평가
③	동료평가	자기평가
④	자기평가	동료평가

■ **절대평가**(준거지향평가) : 학생들의 수행이 미리 정해 놓은 기준의 도달 여부를 교육목표 달성 여부로 평가하는 것.
■ **상대평가**(규준지향평가) : 수행 달성 정도의 평가를 집단 내의 상대적인 서열을 중심으로 평가하는 것. 수, 우, 미, 양, 가와 같은 5단계 평가와 비슷함.

정답 20 : ④, 21 : ④, 22 : ①

필수문제

23 다음에 해당하는 평가기법에 대한 설명으로 옳지 않은 것은?

보기

테니스 포핸드 스트로크 과정	운동수행
· 두 발이 멈춘 상태에서 스트로크를 시도하는가?	Y/N
· 몸통 회전을 충분히 활용하는가?	Y/N
· 임팩트까지 시선을 공에 고정하는가?	Y/N
· 팔로우스로우를 끝까지 유지하는가?	Y/N

① 쉽게 제작이 가능하며 사용이 편리하다.
② 운동수행과정의 질적 평가가 불가하다.
③ 어떤 사건이나 행동의 발생 여부를 신속히 확인할 때 주로 사용한다.
④ 관찰행동을 구체적으로 정의하고 그 행동의 발생 시점을 확인할 수 있다.

■ 보기의 평가기법은 체크리스트인데, 사건이나 행동 발생 여부를 신속하게 확인하기 위해 실시한다.
■ 운동수행 과정의 질적 평가는 할 수 있다.

필수문제

24 보기의 ㉠, ㉡에 해당하는 평가기법으로 적절한 것은?

보기

배드민턴 평가 계획

㉠ 하이클리어 기능 평가 도구

항목	예	아니오
포핸드 스트로크를 할 때 타점이 정확한가?		
시선을 고정하고 있는가?		
팔꿈치를 펴서 스트로크를 하는가?		

㉡ 배드민턴에 대한 태도 평가
• 수강생의 배드민턴에 대한 열정과 의지를 물어봄
• 반구조화된 내용으로 질의 응답을 함

	㉠	㉡
①	평정척도	면접법
②	평정척도	관찰법
③	체크리스트	면접법
④	체크리스트	관찰법

■ **체크리스트** : 측정 행동, 특성 등을 나열한 목록. 어떤 사건이나 행동 발생 여부의 신속한 확인을 위해 사용한다.
■ **면접법** : 설문지나 면담을 통하여 교육 프로그램 등에 관한 학습자의 생각을 파악할 수 있다.

정답 23 : ②, 24 : ③

■평가할 수 있는 방법은 보기 이외에 더 있을 수도 있다.
■루브릭은 학습자의 학습 활동을 점수로 산정할 수 있도록 학습물이나 학습자가 성취한 수준을 평가하는 표를 미리 만들어 놓은 것이다.
■평정척도는 학습자가 설문지에 대답할 때 '좋음, 보통, 나쁨'과 같이 점수 형식으로 답을 하는 것이다.

필수문제

25 보기에서 평가기법을 모두 고른 것은?

보기
1. 체크리스트 2. 설문지 3. 관찰 4. 학습자 일지
5. 루브릭 6. 학습자 면접(상담) 7. 평정척도

① 1~7
② 1~6
③ 1~5
④ 1~4

심화문제

26 보기는 생활체육 참여자가 지도자의 자질을 평가하는 도구이다. 이 평가 도구의 명칭은?

보기

평가 요소		매우 만족	만족	보통	불만족	매우 불만족
안전 관리	운동상해 예방 및 관리, 안전사고 대응지식					
시설 관리	시설, 운동기구의 배치 및 관리 지식					
의사 소통	참가자를 대상으로 한 운동 상담 기본 지식					

① 보고서
② 루브릭
③ 평정척도
④ 학습자 일지

■수우미양가로 평가하는 것이 평정척도이다.

정답 25 : ①, 26 : ③

07 Chapter 스포츠교육자의 전문적 성장

학교체육 전문인

1 학교체육 전문인의 전문적 자질

한국교육과정평가원과 한국스포츠교육학회에서 제시한 학교체육지도자에게 필요한 8가지 자격기준.

교직 인성 및 사명감	학교체육 전문인은 건전한 인성과 가르치는 일에 대한 사명감을 갖는다.
학습자의 이해	학교체육 전문인은 학생 개인의 특성과 신체활동의 학습 및 발달 정도를 이해한다.
교과지식	학교체육 전문인은 학교체육에 관한 전문지식을 갖는다.
교육과정의 개발 · 운영	학교체육 전문인은 체육교과, 학생, 교육상황에 적합한 교육과정을 개발 · 운영한다.
수업계획 및 운영	학교체육 전문인은 체육수업을 효과적으로 계획 · 운영한다.
학습 모니터 및 평가	학교체육 전문인은 학생의 신체활동 관련 학습을 관찰하고 평가한다.
협력관계 구축	학교체육 전문인은 교육 공동체 구성원들과 협력관계를 구축한다.
전문성 개발	학교체육 전문인은 전문성 개발을 위하여 끊임없이 반성하고 실천한다.

2 학교체육 전문인의 전문적 자질 개발

학교체육 전문인의 전문적 자질 개발은 대학의 관련학과에서 가르치는 직전교육과 현직에서 이루어지는 현직교육이 있다. 직전교육은 학교체육지도자로서 갖추어야 할 인지적 · 기능적 · 인성적인 측면을 체계적으로 대학에서 가르치는 것이고, 현직교육은 학교체육지도자가 평생에 걸쳐서 끊임없이 자기계발을 하는 것이다.

3 Katz가 분류한 학교체육지도자의 경력단계

생존단계(0~1년) → 강화단계(2년) → 갱신단계(3~4년) → 성숙단계(4년 이후)

생활체육 전문인

1 생화체육 전문인의 전문적 자질

생활체육 전문인은 유아부터 노인에 이르기까지 모든 연령대의 사람들을 대상으로 신체활동을 지도해야 하므로 어린이들의 발육발달과 일반인의 건강에 대한 지식을 충분히 가지고 있어야하고, 사회생활에 필요한 건전한 인성과 태도도 갖추고 있어야 한다. 다음은 생활체육 전문인이 갖추어야 할 인지적 · 기능적 · 인성적 자질을 표로 나타낸 것이다.

인지적 자질	기능적 자질	인성적 자질
법제적 지식	프로그램 개발 능력	체육인 (스포츠 윤리 · 가치지향성)
지도대상에 대한 지식	지도능력 (종목지도, 일반지도)	교육자 (배려, 상호존중, 리더십)
지도내용에 대한 지식 (종목전문, 스포츠과학)	관리능력 회원 · 조직 · 안전 · 시설관리능력	전문가 (반성적 사고, 책임감, 혁신)
지도방법에 대한 지식 (종목전문, 일반교수)		서비스 생산자 (고객지향성, 친절 · 겸손)
관리에 대한 지식 (안전 · 시설관리 · 의사소통)		

2 생활체육 전문인의 전문적 자질 개발

생활체육 전문인도 대학에서 관련학과를 다니면서 배우는 직전교육과 스포츠교육 현장에서 자신의 지도능력을 발전시켜나가는 현직교육으로 나눌 수 있다. 생활체육 전문인의 현직교육은 지도자 개개인이 서로 다른 환경에서 지도를 하고 있기 때문에 각자의 요구와 관심사를 반영해야 한다.

전문체육 전문인

1 전문체육 전문인의 전문적 자질

전문체육 전문인은 스포츠선수들이 가장 탁월하게 운동을 수행할 수 있도록 지도하는 사람들이다. 그러므로 가르치는 선수가 탁월한 기량을 발휘할 수 있도록 지도하는 것이 가장 중요하지만 선수를 신체적 · 심리적 · 사회적으로 온전한 사람으로 길러내는 것이 더 중요하다. 미국의 스포츠체육협회(NASPE)에서는 코치들이 갖추어야 할 전문적 자질을 8개의 영역, 40개의 행동표준, 127개의 행동특성으로 구분하여 제시하고 있다.

전문영역 1: 철학 및 윤리	코치는 선수의 발달을 위한 확고한 철학을 가지고 있어야 하며, 이러한 철학은 코칭의 전 과정을 통하여 스며들 수 있어야 한다. 또한 코칭의 전 과정을 통하여 윤리적으로 행동하고, 이러한 행동을 선수들에게 모범적으로 실천하며 가르칠 수 있어야 한다.
전문영역 2: 안전 및 상해 예방	코치는 안전사고에 대비하여 적절히 대처할 수 있는 응급처치 기술을 가지고 있어야 하며, 연습 또는 시합 중에 발생할 수 있는 잠정적인 위험 요인을 파악하고 이를 예방할 수 있도록 조치를 취할 수 있어야 한다. 또한 부상이나 사고로부터 생길 수 있는 선수들의 심리적인 문제를 인지하고 적절히 대응할 수 있어야 한다.
전문영역 3: 신체적 컨디셔닝	코치는 선수가 안전하게 운동할 수 있도록 운동과학의 원리를 적용한 체력훈련 프로그램을 설계하고 최적의 수행을 위한 상태를 유지할 수 있도록 해야 한다.
전문영역 4: 성장 및 발달	코치는 선수의 개인적 성장 및 발달의 정도를 알고 있어야 하며, 이를 바탕으로 하여 각각의 선수들이 최적의 신체적 · 기능적 · 정서적 발달을 이루어낼 수 있도록 개별화된 교육환경을 조성하고 연습과 시합 전략을 달리할 수 있어야 한다.

전문영역 5: 지도법 및 커뮤니케이션	코치는 선수들이 긍정적인 학습경험을 가질 수 있도록 연습활동을 계획하여 실행하여야 한다.
전문영역 6: 운동기능 및 전술	코치는 팀 멤버들을 효과적이고 성공적인 그룹으로 만들기 위하여 가르치는 종목과 연관된 기능과 전술을 개발하고 적용할 수 있어야 한다.
전문영역 7: 조직과 운영	코치는 대회관리 및 운영, 재정관리, 인력관리, 문서관리, 조직관리에 대한 전문성을 가지고 있어야 한다.
전문영역 8: 평가	코치는 팀의 전 영역에 대하여 평가를 내릴 수 있는 적절한 평가기법의 활용과 이를 통하여 선수, 코치 자신, 스태프들을 체계적으로 평가할 수 있어야 한다.

2 전문체육 전문인의 전문적 자질 개발

코치의 수준 또는 발전단계를 나라마다 조금씩 다르게 구분하고 있다. 우리나라는 보통 초등학교코치, 중 · 고등학교코치, 대학 · 실업팀코치, 프로팀코치로 구분하고 있으며, 미국은 초보코치, 중급초치, 마스터코치로 나누고, 뉴질랜드는 초보코치와 숙련코치로 나누고 있다. 영국에서는 초급코치, 레벨2코치, 중견코치, 마스터코치로 구분하고 있다.

코치의 단계를 입문단계, 개발단계, 고급단계로 나누고, 각 단계별로 개발해야 할 자질을 간단히 설명하면 다음과 같다.

입문단계	대학에서 관련학과를 졸업한 다음 종목별 협회에서 실시하는 코치연수를 마치면 입문단계의 코치가 된다.
개발단계	입문단계의 교육을 통해서 습득한 지도기술이나 지식을 현장에서 적용하려면 많은 시행착오를 거칠 수밖에 없다. 그러한 시행착오를 겪는 과정에서 이론과 실제의 차이점을 알게 되고, 지도역량이 발전하게 된다.
고급단계	입문단계와 개발단계를 거치면서 코치는 자신의 지도철학과 지도기술을 익혀나가게 된다.

3 스포츠교육 전문인으로서의 장기적인 성장

형식적 성장, 무형식적 성장, 비형식적 성장으로 나눌 수 있다.

형식적 성장	고도로 제도화 되고, 관료적이며, 표준화된 교육과정을 통해서 코치들이 배워야 할 공통의 지식을 체계적으로 가르치는 형식적 교육을 통해서 성장하는 것이다. 학위 또는 자격증을 취득하는 것이다.
무형식적 성장	공식화된 교육기관 밖에서 단기간 동안 자발적으로 행해지는 세미나, 워크숍, 컨퍼런스 등을 통해서 학습하여 성장하는 것이다. 넓은 범위의 지식을 지속적으로 개발할 수 있다는 장점이 있다.
비형식적 성장	일상생활 또는 코칭을 하는 과정에서 의식적 또는 무의식적으로 배우게 되는 것이다. 고급단계의 코치 교육은 형식적인 교육에 의해서 이루어지는 경우는 거의 없고 자신의 지도활동에 대하여 스스로 반성하고 효과적인 지도방법을 스스로 창출해야 한다.

필수 및 심화 문제

필수문제

01 한국교육과정평가원과 한국스포츠교육학회에서 학교체육 전문인으로서 갖추어야 할 자질 및 능력으로 제시한 것이 아닌 것은?

① 지식
② 수행
③ 태도
④ 국가관(역사관)

■ 수행은 운동능력이나 관리능력을 말하고, 태도는 인성이나 도덕성을 의미한다.

심화문제

02 체육전문인으로 성장하기 위한 방안 중 무형식적인 성장 방법이 아닌 것은?

① 세미나 참여　② 워크숍 참여
③ 클리닉 참여　④ 개인적 경험

■ 개인적 경험은 비형식적인 성장이다.

03 Katz(1972)는 지도자로서의 직업에 입문한 다음부터의 지도자의 생애를 4단계로 구분하고, 각 단계마다 적합한 교육을 받아야 한다고 주장하였다. Katz가 주장한 지도자의 단계가 아닌 것은?

① 생존단계　② 갱신단계
③ 성숙단계　④ 노화단계

■ Katz의 학교체육지도자 경력단계
생존단계(0~1년) → 강화단계(2년) → 갱신단계(3~4년) → 성숙단계(4년 이후)

필수문제

04 아래의 보기는 Kemmis와 McTaggart(1988)의 현장개선 연구의 절차를 설명하고 있다. 스포츠교육 지도자의 전문역량을 향상시키기 위한 반성적 교수행동으로 (　　) 안에 포함될 적당한 것은?

보기
계획 – 실행 – (　　) – 반성 – 수정과 재계획

① 토의　② 평가
③ 검토　④ 관찰

■ Kemmis와 McTaggart의 현장개선 연구의 순환구조
계획→실행→관찰→성찰(반성)→문제 파악 및 재계획

정답　01 : ④, 02 : ④, 03 : ④, 04 : ④

필수문제

05 **생활체육 전문인은 체육인, 교육자, 전문가, 서비스생산자의 역할을 모두 해야 한다. 다음 중 전문가의 역할을 잘 수행하기 위해서 갖추어야 할 인성적 자질에 해당되는 것은?**

① 스포츠윤리 의식 ② 리더십
③ 책임감 ④ 친절 및 겸손

■①은 체육인, ②는 교육자, ④는 서비스생산자로서 갖추어야 할 인성적 자질이다.

심화문제

06 **체육지도자의 '인지적 자질'에 해당되지 않는 것은?**

① 스포츠생리학, 운동역학 등과 관련된 스포츠 과학지식이 요구된다.
② 참여자와의 상담을 위해 기본적인 상담지식을 갖추어야 한다.
③ 클럽 운영과 관련된 지식, 정책 및 법령에 대한 이해가 필요하다.
④ 스포츠맨십, 스포츠인권 등과 같은 규범적 가치를 존중해야 한다.

■인지적 자질은 OOO에 대한 지식이다.

07 **다음 중 생활체육 전문인이 갖추어야 할 인성적 자질과 거리가 먼 것은?**

① 스포츠맨십과 스포츠인권 등 윤리규범을 준수하는 태도
② 참가자의 수행을 관찰하고 평가하려는 태도
③ 지도자와 참여자가 서로 존중하는 태도
④ 자신을 반성하고 끊임없이 전문성을 향상시키려고 노력하는 태도

■평가하려고만 하면 누가 좋아하겠는가?

08 **다음 중 생활체육 전문인이 갖추어야 할 인지적 자질과 가장 거리가 먼 것은?**

① 참가자 등 지도대상에 대한 지식
② 참가자의 특성을 반영한 프로그램 개발 능력
③ 스포츠 기술 등 지도 내용에 관한 지식
④ 안전 관리에 관한 지식

■인지적 자질은 OOO 지식, 기능적 자질은 OOO능력이다.

09 **생활체육 분야에서 체육지도자의 자질 및 역할로 옳지 않은 것은?**

① 다양한 연령층을 대상으로 하는 프로그램을 구성하고 지도한다.
② 사회·문화적 책임감을 갖고 스포츠활동을 지도한다.
③ 참여자가 지속적으로 스포츠활동에 참여하도록 안내한다.
④ 운동기능을 지도하는데 필요한 이론적 지식은 갖추지 않아도 무방하다.

10 **체육지도자의 전문가로서 성장방법이 아닌 것은?**

① 형식적 성장 ② 무형식적 성장
③ 반성적 성장 ④ 비형식적 성장

■반성적 성장은 없다.

정답 05 : ③, 06 : ④, 07 : ②, 08 : ②, 09 : ④, 10 : ③

11 **보기는 생활체육 전문인의 전문적 자질을 개발하는 방법을 설명한 것이다. 어떤 방법을 설명한 것인가?**

보기
» 코칭 개선을 목적으로 실시하는 상호 배움의 과정이다.
» 서로의 코칭을 관찰하여 피드백을 제공하고, 대화를 통해서 문제점과 해결 방안을 탐색한다.
» 일대일로 만나서 할 수도 있지만, 다수가 모여서 토론이나 세미나를 할 수도 있다.

① 현장연구 ② 동료코칭
③ 스터디그룹 ④ 코치강습

필수문제

12 **보기에서 최 코치가 추천한 스포츠 교육 전문인의 성장 방식은?**

보기
민 수 : 코치님, 어떻게 하면 저도 훌륭한 스포츠 교육 전문가가 될 수 있을까요?
최 코치 : 여러 가지가 있겠지만, 나는 네가 선수시절 경험을 정리해보거나, 코칭 관련책과 잡지를 읽으면서 다양한 지식을 얻었으면 좋겠다.

① 경험적 성장 ② 비형식적 성장
③ 의도적 성장 ④ 무형식적 성장

■ **형식적 성장**은 표준화된 교육과정을 통해서, **비형식적 성장**은 일상생활이나 코칭과정에서 의식적 또는 무의식적으로, **무형식적 성장**은 단기간 동안 자발적으로 행해지는 세미나나 워크숍을 통해서 배우는 것이다.

심화문제

13 **미국스포츠체육협회(NASPE, 2006)에서는 전문체육 전문인(코치)이 지녀야 할 자질을 8개의 (　　), 40개의 (　　), 127개의 (　　)(으)로 제시하고 있다. (　　) 속에 들어갈 말을 차례로 적은 것은?**

① 인성, 태도, 지식
② 전문영역, 전략, 기술
③ 철학 및 윤리, 신체적 컨디셔닝, 운동기능 및 전술
④ 전문영역, 행동표준, 행동특성

■ 전문체육 전문인의 전문적 자질(p. 108) 참조.
■ ③은 전문영역의 내용이다(p. 108 참조).

14 **아래의 보기는 Schempp(2006)가 제시한 스포츠지도자의 전문성 구성 요소 중 어느 것에 해당하는가?**

보기
배려심, 선천적인 기질, 열정, 믿음 등의 심리적 측면의 전문성 요소이다.

① 기술 ② 지식
③ 철학 ④ 개인적 특성

정답 11 : ②, 12 : ②, 13 : ④, 14 : ④